PETIT VOCABULAIRE
DES
ÉTUDES BIBLIQUES

G. FLOR SERRANO
L. ALONSO SCHÖKEL

PETIT VOCABULAIRE DES ÉTUDES BIBLIQUES

traduit de l'espagnol par Daniel Dore

LES ÉDITIONS DU CERF
29, bd Latour-Maubourg, Paris
1982

© Institución San Jerónimo, Trinitarios, 1, Valencia, 1979, pour l'édition originale parue en espagnol sous le titre *Diccionario terminológico de la ciencia bíblica.*

© Les Éditions du Cerf, 1982, pour l'édition française.

ISBN 2-204-01890-2

ISSN 0588-2257

NOTE DE L'ÉDITEUR

Le présent dictionnaire s'adresse à deux groupes de lecteurs : d'abord, aux professeurs et étudiants d'Écriture Sainte. Les premiers ont besoin d'un moyen d'expression précis et stable; puisse ce manuel aider à unifier le langage des sciences bibliques! Les étudiants doivent assimiler des termes fixés, des concepts clairs; cela fait partie de leur apprentissage. Ensuite, il s'adresse à ceux qui, sans se dédier à l'étude de l'Écriture Sainte, aiment à lire des ouvrages sur des sujets bibliques. Ceux-là ont besoin d'un manuel de consultation pour identifier le sens des termes que les spécialistes et les vulgarisateurs emploient, sans les expliquer.

Ce dictionnaire est composé sous le signe de l'économie. En premier lieu, nous avons sélectionné les termes spécifiques, ou du moins les termes les plus employés dans les études bibliques. Pour les termes non spécifiques, nous renvoyons à des ouvrages semblables de philologie, rhétorique ou stylistique, historiographie... En second lieu, nous avons élaboré des définitions sobres et précises, sacrifiant les explications plus développées des encyclopédies, des traités, des manuels...

Il s'agit d'un dictionnaire en français. La majorité des termes spécifiques des études bibliques ont été forgés en allemand; quelques autres en anglais. On a évité le décalque littéral, et on a cherché des expressions et termes français qui correspondent au concept original. Par exemple, *Literarkritik* est une chose différente de la « critique littéraire ». Ce que les Allemands appellent *Redaktion* peut être parfois travail de composition, etc.

A la fin du dictionnaire, nous présentons une série de listes ou catalogues de textes, d'ouvrages, de manuscrits, d'auteurs, de revues les plus utilisés en études bibliques. Le catalogue des revues a été préparé par Vicente Collado Bertomeu.

Pour faciliter la lecture des livres en langues étrangères, nous offrons quatre listes qui contiennent, dans l'ordre alphabétique propre à chaque langue, les termes du dictionnaire. Ces listes ont été préparées par P. Bovati (Italien), S. Pisano (Anglais), J. Simœns (Français), K. Plöts (Allemand).

AVANT-PROPOS

On a souvent reproché aux biblistes — comme aux théologiens d'ailleurs — d'utiliser un vocabulaire spécialisé, pour ne pas dire un jargon. Ce reproche n'est pas toujours injustifié. Chaque spécialiste, lorsqu'il cherche à communiquer ses découvertes ou son savoir, présuppose connues chez ses lecteurs, parfois à tort, des notions précises communément admises dans le cercle de ses pairs, ou même plus simplement l'interprétation de sigles, d'abréviations, etc.

Il nous a semblé que le petit *Diccionario terminológico de la Ciencia Bíblica* de G. FLOR SERRANO et L. ALONSO SCHÖKEL publié à Madrid en 1979 (et déjà traduit en italien) pouvait aider les lecteurs des ouvrages d'exégèse biblique. C'est pourquoi nous n'avons pas hésité à en présenter une édition française.

Nous devons signaler les quelques changements intervenus par rapport à l'édition originale :
— quelques-unes des définitions du dictionnaire proprement dit ont été revues et illustrées par un exemple;
— la bibliographie des « instruments de travail » — revue et complétée en fonction des ouvrages disponibles en décembre 1981 — a été adaptée au public francophone;
— enfin, à la liste des revues bibliques on a ajouté une liste des revues théologiques en langue française, auxquelles les biblistes ont coutume de se reporter.

Il nous est un agréable devoir de remercier ceux qui nous ont aidé dans ce travail : le père Luis Alonso Schökel, doyen de la faculté biblique de l'Institut biblique pontifical de Rome, le père Jacques Briend, directeur de l'U.E.R. de théologie de l'Institut catholique de Paris. Mais c'est très spécialement à la mémoire d'Étienne Charpentier, tragiquement disparu à la suite d'un accident de la route en novembre 1981, que nous voudrions dédier ce petit manuel.

Daniel DORÉ

SIGNES ET ABRÉVIATIONS

all.	allemand
angl.	anglais
cf.	voir, consulter
esp.	espagnol
g. l.	genre littéraire
gr.	grec
héb.	hébreu
lat.	latin
p. e.	par exemple
→	consulter (renvoi à un article de ce dictionnaire)
A. T.	Ancien Testament
N. T.	Nouveau Testament

A

A. Sigle du codex → *alexandrin* ou *Alexandrinus.*

Accadien. → *Akkadien.*

Action de grâces *(g. l.).* Forme littéraire pour remercier Dieu de quelque bienfait. D'un point de vue formel, est très semblable à l' → *hymne :* invitation, développement, conclusion.

Actualisation. Relecture d'un événement ou d'un texte ancien pour le moment auquel on se le rappelle, on le représente ou on l'utilise. Dans le cas des événements, p. e. l'Exode, ceux qui se le rappellent peuvent arriver à considérer qu'ils y participent. On peut obtenir cette actualisation dans les textes par des additions, des adaptations, des commentaires : p. e., ajouter le nom de Juda dans un oracle destiné originairement à Israël seul. Le culte semble être le lieu privilégié de l'actualisation.

Agada. → *Hagada.*

Agrapha ou **Agraphon** *(gr., non écrit).* Terme appliqué aux paroles de Jésus non recueillies dans les Évangiles canoniques, mais que l'on trouve dans les autres écrits du N. T. (Ac 20, 35), dans quelques leçons variantes des manuscrits du N. T. (Lc 6,65), dans le codex de Bèze, dans les écrits des Pères, et dans le Talmud et les écrits islamiques. Ils peuvent également avoir été conservés dans les livres apocryphes. Cf. J. Jeremias, *les Paroles inconnues de Jésus,* (*Lectio Divina,* 62), Paris, 1970; A. Resch, *Agrapha,* TU 15, 3-4 (Leipzig, 2, 1906).

Akkadien. Langue et culture est-sémitiques de la population mésopotamienne (Assyrie et Babylonie) des xxve-ve siècles avant J.-C.

Alexandrie *(école d')*. École exégétique juive et chrétienne où se pratiquait l'interprétation → *allégorique* de l'Écriture (i^{er}-ve siècle de notre ère). Son représentant principal est Origène.

Alexandrin ou **Alexandrinus**. → *codex*. Un des principaux codex grecs du texte biblique (A. T. et N. T.); daté du ve siècle, sigle : A.

Allégorie. Deuxième des quatre → *sens* médiévaux *de l'Écriture,* ou premier des sens → *spirituels*. On découvre dans des textes de l'A. T. (récits, institutions, personnages, etc.) des symboles du Christ et de son Église. → *allégorique, exégèse.*

Allégorique *(exégèse)*. Désigne globalement la méthode dominante d'interprétation de l'Écriture à l'école d' → *Alexandrie* et dans une grande partie de l'exégèse occidentale jusqu'à la fin du xviie siècle. Cette méthode part du principe que l'A. T. est une figure anticipée du N. T. C'est pourquoi, en plus du sens → *littéral* des textes (lat., *historia*), on trouve un sens spirituel, lequel se réalise en trois directions, dans l'ordre suivant : allégorie, tropologie, anagogie, selon le distique médiéval :

> *Littera gesta docet, quod credas allegoria,*
> *Moralis quid agas, quo tendas anagogia* [1].

Le sens spirituel s'obtient par la lecture symbolique des textes de l'A. T. Cf. H. de Lubac, *Exégèse médiévale, les Quatre Sens de l'Écriture,* 3 vol., Paris, 1959-1960.

---

1. Le sens littéral enseigne ce qui s'est passé, le sens allégorique, ce qu'il faut croire, le sens moral, ce qu'il faut faire, le sens anagogique, ce vers quoi il faut tendre.

Allégorisme. Type d'interprétation de l'Écriture, déformation de la véritable → *allégorie,* consistant à exploiter allégoriquement les symboles en voulant trouver des correspondances de détail à détail entre l'A. T. et le N. T.

Alléluiatiques *(psaumes).* Psaumes qui commencent et/ou se terminent par l'acclamation *Alleluia* (héb., Louez Yahvé). Ce sont les psaumes 104-106, 111-113, 115, 117, 135, 146-150.

Alliance. Symbole emprunté aux relations politiques internationales (traités de vassalité) ou aux coutumes nomades (alliances du sang), employé par l'Écriture pour décrire les relations de Dieu avec les hommes. En science biblique, on connaît : les alliances de Dieu avec Noé, Abraham, le peuple au Sinaï, avec David, et la Nouvelle Alliance.

Alliance *(g. l.).* Utilise généralement le schéma littéraire suivant : nom et titre; prologue historique; déclaration principale; clauses; bénédictions et malédictions; prise à témoin des dieux.

Alliance *(livre ou code de l').* Ensemble des lois de différents types qu'on trouve en Ex 20, 22-23, 19.

Alphabétique *(poème).* Terme appliqué aux poèmes composés de vingt-deux versets, nombre des lettres de l'alphabet hébreu. Composition qui se sert de l'artifice rhétorique consistant à commencer chacun des stiques, chacun des versets, ou les versets parallèles par les lettres correspondantes de l'alphabet hébreu, p. e., Lm, Ps 119.

Amarna *(lettre d' El-).* Archives de tablettes → *cunéiformes* exhumées en 1847 à Tell El-Amarna, l'ancienne Akhetaton sur le Nil, et datées du règne d'Aménophis IV, Akhenaton, le « pharaon monothéiste » (vers 1377-1358). Il s'agit approximativement de 300 tablettes d'argile, presque toutes adressées au pharaon par les rois et les princes du Proche-Orient. Éditées par J.-A. Knudtzon, *Die El-Amarna Tafeln,* Leipzig, 1907-1915. Une sélection en est donnée en AOT, p. 371 et ss., en ANET, p. 483 et ss., et en J. Briend-M.-J. Seux, *Textes du Proche-Orient ancien et histoire d'Israël,* Paris, 1977, p. 47 et ss.

Amorrites ou **Amorréens.** Branche ouest-sémitique des nomades qui commencèrent à envahir le → *Croissant fertile* vers 2500 avant J.-C. Quand ils se sédentarisèrent, ils parvinrent à établir des dynasties fortes comme celle de Babylone, à laquelle appartint Hammurabi (1728-1686).

Amphictyonie *(du grec : habitant à l'entour).* Appliqué par M. Noth à l'union des douze tribus autour d'un sanctuaire central pendant la période de la conquête et de la sédentarisation des Hébreux en Palestine. Il s'agit d'une fédération tribale qui, selon d'autres auteurs (Albright, Bright), existait déjà depuis l'alliance du Sinaï.

Amphictyonique. Adjectif du mot précédent.

Anagogie. Dernier des quatre → *sens bibliques* médiévaux et dernier des sens → *spirituels.* Consiste à interpréter les textes comme symboles de la vie future en elle-même, ou anticipée dans la contemplation.

Analogie de la foi *(lat.,* analogia fidei). Principe théologique qui doit régir l'interprétation de l'Écriture. C'est la consonance que chaque interprétation doit garder avec l'ensemble de la Révélation.

Anamnèse *(gr., mémoire).* Terme liturgique signifiant : commémoration cultuelle d'un événement.

Anathème *(héb.* Herem). Institution religieuse d'Israël qui consiste à vouer à l'extermination, pour des motifs religieux, des personnes, des animaux, ou des choses.

Anecdote *(g. l.).* Bref récit qui caractérise un personnage, une situation, etc. (p. e. 2 R 7).

Anicônique *(culte).* Culte sans images de la divinité. Ce culte est exigé par le → *décalogue* (Ex 20; Dt 5).

Anthropomorphisme *(gr., forme d'homme).* Attribution de traits et de comportements humains à des êtres non humains. Dans l'A. T., Dieu est présenté de façon anthropomorphique, pour souligner son caractère personnel et sa participation à l'histoire.

Anthropopathisme *(gr., souffrance d'homme).* Attribution de sentiments humains à des êtres non humains. → *Anthropomorphisme.*

Antioche *(école d').* École exégétique chrétienne (IVe-VIe siècle) où on pratiquait l'interprétation littérale et sobrement spirituelle de l'Écriture (→ *théorie*), s'opposant à l'exégèse → *allégorique* de l'école d' → *Alexandrie.* Les représentants principaux de cette école sont Théodore de Mopsueste et Théodoret de Cyr.

Antitype. → *typologie.*

Apocalyptique. Courant de pensée religieuse, juif et chrétien, utilisant le genre littéraire → *apocalyptique* (IIe siècle av. J.-C.-IIe siècle ap. J.-C.).

Apocalyptique *(g. l.).* Genre littéraire offrant une périodisation de l'histoire et une annonce de l'imminence du temps définitif, mise comme prophétie dans la bouche de quelque grande personnalité religieuse du passé. Utilise la spéculation sur la symbolique des nombres, les symboles et les allégories, à l'intérieur d'une conception déterministe de l'histoire.

Apocryphe *(gr., caché).* Terme appliqué aux écrits juifs et protochrétiens, gardant quelque ressemblance avec les livres → *canoniques,* mais qui ne furent pas admis dans le → *canon.* Les protestants les appellent → *pseudépigraphes,* et donnent le nom d'apocryphes aux → *deutérocanoniques de l'A. T.* (cf. liste des apocryphes, *infra*).

Apodictique *(loi).* Type d'énoncé législatif catégorique ordonnant ou interdisant une action, sans indiquer la peine prévue pour les transgresseurs, et sans différencier les divers cas possibles. Les lois apodictiques se présentent habituellement en séries, p. e. le décalogue (→ *casuistique,* loi).

Apophtegme *(gr., parole à partir de).* Maxime ou parole contenant une norme de conduite. Dans le N. T., les apophtegmes apparaissent comme des réponses de Jésus à des questions des disciples ou des adversaires, provoquées par une conduite surprenante.

Apparat critique. Dans les éditions scientifiques des textes bibliques, série de notes en bas de page, signalant les différentes → *leçons* des manuscrits, et indiquant à quel manuscrit appartient chaque leçon signalée, ainsi que les hypothèses des critiques.

Aquila *(version d').* → *Version grecque de l'A. T.,* réalisée très littéralement à partir de l'hébreu, autour de l'an 135 avant J.-C.

Aramaïsme. Tournure propre à la langue araméenne, passée dans une autre langue (grec, latin...) → *araméen.*

Araméen. Langue ouest-sémitique, assez proche de l' → *hébreu,* parlée dès la fin du IIe millénaire par les semi-nomades qui envahirent le → *Croissant fertile*. C'était la langue internationale officielle à l'époque des Assyriens, Néobabyloniens et Perses. Elle se transforma en langue courante des anciens territoires assyro-babyloniens qui comprenaient la Syrie-Palestine. L'araméen remplaça peu à peu l'hébreu comme langue vulgaire du peuple juif à partir de 586 (chute de Jérusalem) et de l'exil à Babylone. Il subsista comme langue dominante jusqu'à l'avènement de l'Islam, au VIIe siècle de notre ère.

Archéologie biblique. Science auxiliaire servant à localiser, dater, reconstituer, etc., les lieux et l'histoire bibliques.

Auteur. → *Inspiration; intention de l'auteur.*

Authenticité. Fait qu'un livre biblique a bien été écrit par l'auteur auquel il est attribué. On parle d'authenticité « divine » (livres réellement inspirés) et d'authenticité « humaine », dans le sens indiqué ci-dessus. Authenticité juridique → *Vulgate.*

B

B. Sigle du codex → *Vaticanus.*

Baal *(héb).* Nom générique de la ou des divinités (pl., *Baa-lim*) locales de Syrie-Palestine, signifiant « Maître, Seigneur ». Dans la Bible, ce terme est synonyme de « idole », ou « faux-dieu ». En d'autres langues, il prend la forme *Bel,* p. e., Bel-zebul, Bel-phegor → *fertilité (cultes de la).*

Baraïtot *(héb., extérieures).* Quelques-unes des règles → *hala-kiques* qui n'ont pas été recueillies dans la → *Mishna,* quand cette dernière fut mise par écrit. Ultérieurement, beaucoup d'entre elles furent insérées dans le → *Talmud.* Contiennent également des éléments → *hagadiques.*

Béatitude. Louange de quelqu'un à cause du bonheur qui lui arrive par chance, ou désir exprimé que ce bonheur lui advienne. On en mentionne habituellement le motif (1 R 10, 5; Mt 5).

Bénédiction *(g. l.).* Formule par laquelle l'homme loue ou remercie Dieu. Forme littéraire dans laquelle on invoque ou promet la faveur de Dieu pour une personne ou pour un groupe. Fréquemment, les bénédictions sont groupées en séries (Dt 28). Elles sont l'un des éléments de l'→ *Alliance.*

Benedictus *(lat.).* Nom donné au cantique de Zacharie (Lc 1, 68-79) d'après son premier mot dans la Vulgate.

Bèze *(codex de).* Un des importants codex grecs du N. T., daté des IVe-Ve siècles, contenant également la traduction latine. Il doit son nom à celui de son éditeur, Théodore de Bèze. Appelé également *codex Cantabrigensis,* parce qu'il est conservé à Cambridge. Sigle : D. Ne comporte que les Évangiles et les Actes.

Bodmer. Papyrus. Nom de l'éditeur par lequel on désigne une collection de → *papyrus* du N. T.; les plus importants sont les suivants :

— Bodmer II (sigle : P^{66}), vers 200. Contient Jn 1-14 et d'autres fragments.

— Bodmer XIV-XV (sigle : P^{75}), du IIIe siècle. Contient Lc et Jn 1-15 presque complètement.

C

C. Sigle du codex d'Ephrem, dit *Ephraemi Rescriptus.*

Cabale ou **kabbale.** Interprétation mystique de l'Écriture, pratiquée par quelques cercles juifs ou chrétiens du Moyen Age; pratiques de sorcellerie et d'astrologie fondées sur cette interprétation. Le livre classique de la cabale est le *Zohar.*

Calendrier. Instrument servant à diviser le temps en périodes. Dans la Bible et les commentaires juifs, les calendriers ont une grande importance, y compris comme facteurs de composition et d'interprétation.

Cananéen. Nom par lequel on désigne la population et la culture autochtones de Syrie occidentale et de Palestine (Canaan), avant la venue des Israélites.

Canon *(gr., règle).* Catalogue des livres sacrés, considérés comme inspirés par Dieu et contenant la norme de la foi et de la morale. Le canon de l'Écriture est la liste des livres qui composent la Bible, liste différente selon les juifs, les chrétiens catholiques ou protestants (cf. liste du canon, *infra*).

Canonicité. Qualité des livres admis dans le → *canon* de l'Écriture.

Canonique. Adjectif de → *canon.*

Cantabrigensis. → *Bèze (codex de).*

Captivité *(lettres ou épîtres de la).* Nom donné à trois lettres du *corpus paulinien :* Phm, Col, Ep.

Carrée *(écriture).* Mode d'écriture de l'hébreu, attestée à partir du IIIe siècle avant J.-C. S'oppose à l'écriture primitive et à l'écriture cursive moderne. Les textes imprimés utilisent ordinairement l'écriture carrée.

Casuistique *(loi).* Type d'énoncé législatif présentant le cas concret et circonstancié de la transgression, avec la peine correspondante, p. e. Ex 22, 1 ss (→ *apodictique, loi*).

Catholiques *(lettres ou épîtres).* Terme appliqué aux lettres suivantes : 1 et 2 P, Jc, Jude, 1, 2 et 3 Jn, parce qu'on les considère comme adressées à toute l'Église.

Céramique. La céramique ou poterie trouvée dans les fouilles est utilisée comme critère de datation.

Chaînes *(lat.,* catenae). Collection d'interprétations rassemblées sans ordre fixe, autour du texte biblique, en petites péricopes. Placées sous le titre de l'auteur sacré auquel elles se réfèrent, les chaînes se présentent comme des anthologies d'écrits exégétiques des Pères et des écrivains ecclésiastiques. Ont eu une importance spéciale la chaîne grecque de Procopius de Gaza et la chaîne dorée *(catena aurea)* de saint Thomas sur les Évangiles.

Champ sémantique. Ensemble de mots qui ont un trait significatif commun, p. e., les termes ayant rapport au droit, au lieu d'habitation, etc. On considère que les champs sémantiques sont organisés en structures ouvertes.

Chant ou **cantique** *(g. l.).* Composition brève, sur des sujets divers — probablement d'origine profane —, imitée surtout par les prophètes (p. e., Is 5, 1 ss.).

Charisme *(gr.).* Dons et manifestations extraordinaires de l'Esprit-Saint, concédés à des membres de la communauté croyante pour le bien de toute la communauté.

Chester-Beatty *(papyrus).* Nom (de la bibliothèque où elle est conservée à Dublin) sous lequel on désigne une collection de → *papyrus* du N. T. Les plus importants sont :
— P⁴⁵ : de la première moitié du IIIᵉ siècle; contient des fragments des Évangiles et des Actes. Conservé à Dublin.
— P⁴⁶ : écrit aux environs de l'an 200. Conserve 86 feuilles ou folios des épîtres pauliniennes.

Chiasme *(gr., croisement).* Procédé consistant à disposer en ordre inverse les composantes communes d'un texte (formes, contenus, etc.), de façon à obtenir une sorte de schéma croisé, ou un schéma a b b′ a′, p. e., Jr 6, 25; Pr 3, 10.

Chroniste. Nom donné par les spécialistes à l'auteur de l'ensemble narratif de 1 et 2 Ch, Esd, Ne (Vᵉ-IVᵉ siècle avant J.-C.).

Chronos. → *Kairos.*

Citations implicites *(théorie des).* Théorie imaginée pour sauvegarder l' → *inerrance biblique.* Elle suppose que l'auteur inspiré citerait — sans nommer ses sources — des documents non inspirés; ceux-ci pourraient contenir des erreurs que l'auteur sacré n'approuve pas et qu'il ne fait pas siennes.

Claramontanus *(codex, ou codex de Clermont-en-Beauvaisis).* Un des codex grecs importants du N. T., daté du Vᵉ siècle, contenant les épîtres de saint Paul (en grec et en latin). Conservé à la Bibliothèque nationale de Paris. Sigle : D.

Code de l'Alliance. → *Alliance, livre ou code de.*

Code deutéronomique. Ensemble de lois contenu dans le livre actuel du Dt. (Dt 12-26).

Code sacerdotal. → *Sacerdotal,* document ou tradition.

Code de sainteté. Nom appliqué depuis A. Klostermann (1877) à l'ensemble des lois de Lv 17-26, en raison du fréquent appel à la sainteté de Dieu. Désigné par la lettre H (all. *Heiligkeitsgesetz*).

Codex *(lat.).* Ensemble de feuilles ou folios, généralement de parchemin, assemblés et pliés en forme de cahier comme dans nos livres actuels. Certains manuscrits du texte biblique, utilisés pour l'établissement critique du texte, sont conservés en codex (cf. liste des codex et versions, *infra*).

Comma johannique. Passage de 1 Jn 5, 7 : Car ils sont trois à rendre témoignage « dans le ciel, le Père, le Verbe, et l'Esprit-Saint, et ces trois sont un seul. Et trois rendent témoignage sur la terre... ». Interpolé dans le texte de 1 Jn, probablement par des cercles priscilianistes, il est absent des meilleurs manuscrits.

Commission biblique *(Pontificia Commissio Biblica).* Commission fondée par Léon XIII en 1902, par la lettre apostolique *Vigilantiae,* dont la mission est de stimuler les études bibliques, de veiller sur elles avec autorité et de dirimer les questions discutées. Depuis le Concile Vatican II, elle est devenue une commission consultative, appartenant à la Congrégation pour la doctrine de la foi.

Composition *(analyse historique de la).* Méthode d'exégèse qui étudie le processus de composition d'un livre jusqu'à son état définitif, à partir de ses plus petits éléments originaux.

Concentrique *(structure).* Procédé littéraire consistant à disposer les mots, les phrases et les périodes dans un ordre inversement parallèle, de manière à ce que le premier élément corresponde au dernier, et ainsi de suite : a b c d c′ b′ a′. Ordinairement, au centre de la structure, demeure un élément sans correspondance. Quelques auteurs préfèrent l'appeler structure « symétrique ».

Concordances bibliques. Livre présentant les phrases de la Bible selon l'ordre alphabétique de chacun des mots (cf. liste des instruments de travail, *infra*).

Confession. → *Pénitentielle, liturgie.*

Connotation. Traits significatifs secondaires ajoutés à la → *dénotation* d'un mot, pour des associations de divers types.

Corpus. Nom donné à un ensemble (lettres, épîtres, livres).

Corpus paulinien. Nom donné à l'ensemble des lettres ou épîtres — authentiques ou attribuées — de saint Paul.

Credo *(g. l.).* Expression littéraire d'une profession de foi liturgique centrée sur les actions historiques de Yahvé, dans laquelle on énonce brièvement les faits historiques, en série, selon des formules stéréotypées : Dt 6, 20-25; Dt 26, 5-10; Jos 24, 2-13.

Critique. Employé au pluriel (les critiques) ou au singulier de façon absolue, ce mot désigne l'ensemble des spécialistes de l'étude des textes, p. e. : Is 56-66 est attribué par la critique à un auteur d'après l'exil.

Critique des sources *(ou de la composition).* Analyse qui prétend reconstruire la genèse des textes bibliques actuels, en tenant compte des sources probables, des additions, des changements, etc.

Critique historique. Reconstruction des états successifs et des processus historiques, à partir des textes bibliques et d'autres matériaux de la même époque (documents et monuments).

Critique littéraire. Analyse des éléments littéraires typiques ou particuliers d'un texte.

Critique textuelle. Technique pour établir le texte véritable de l'Écriture, au moyen de l'examen et de la comparaison des manuscrits par lesquels elle s'est transmise.

Croissant fertile. Nom donné à la zone fertile — en forme de croissant de lune — qui borde au nord le désert de Syrie, et unit le golfe Persique à l'embouchure du Nil, en passant par la Mésopotamie et la Syrie.

Cunéiforme *(écriture).* Type d'écriture très ancienne, déjà connue par les Sumériens, dont les caractères sont formés d'éléments en forme de cône, gravés par un poinçon sur une tablette d'argile.

D

D. Sigle de deux manuscrits :
— codex de Bèze *(Codex Bezae)*
— codex de Clermont *(Codex Claramontanus)*
— et du document ou tradition du Pentateuque (→ *deuté-ronomique*).

Décalogue *(gr., dix paroles).* Les dix commandements formant les clauses de l' → *Alliance du Sinaï* (Ex 20, 1-17; Dt 5, 6-21).

Dei Verbum *(lat.).* Titre de la constitution dogmatique du Concile Vatican II sur la Révélation divine.

Démythisation. Technique d'interprétation proposée par R. Bultmann. A pour point de départ la supposition que le langage du N. T. exprime en termes du monde physique les réalités transcendantes, en les déformant. Pour traduire ces symboles en catégories de philosophie existentielle, cette technique cherche à retrouver le vrai message du N. T., c'est-à-dire l'appel à l'existence authentique. Le langage et la conception du monde du N. T. sont définis comme mythiques, et la technique d'interprétation consiste dans la démythisation (→ *mythe*).

Démythologisation. → *Démythisation.*

Dénotation. Signifié, ou traits significatifs propres d'un mot (→ *connotation*).

Deutérocanonique. On désigne ainsi les livres qui furent admis tardivement dans le → *canon* de l'Écriture, mais qui lui appartiennent et sont, de ce fait, → *canoniques*. Les protestants appellent → *apocryphes* les livres deutérocanoniques de l'A. T., et leur adjoignent la Prière de Manassé, 3 Esd et quelquefois, 4 Esd et 3 et 4 M (cf. liste du canon, *infra*).

Deutéro-Isaïe. Nom donné à l'auteur anonyme, supposé par la critique, de Is 40-55.

Deutéronomique *(réforme)*. Terme appliqué à la réforme religieuse de Josias (en 622 avant J.-C.), en lien avec la découverte du livre de la Loi (2 R 22), document que les critiques identifient au noyau du Deutéronome actuel.

Deutéronomique *(tradition ou document)*. Un des quatre documents qui, selon la théorie → *documentaire,* composent le → *Pentateuque*. Sigle : D.

Deutéronomiste. Nom donné par M. Noth en 1943 à l'école littéraire et au rédacteur final de l'ensemble narratif comprenant Dt, Jos, Jg, S et R. Sigle : Dtr.

Deux Sources *(théorie des)*. Hypothèse scientifique soutenant que les évangiles synoptiques actuels ont été élaborés à partir de deux sources communes, un Mc primitif (→ *Ur-Markus*) et une seconde source désignée par le sigle Q (all., *Quelle*).

Diachronique. Terme appliqué à l'étude d'une réalité considérée dans son développement dans le temps (→ *synchronique*). On étudiera p. e. la notion de messie de David à Jésus.

Diaspora *(gr., dispersion)*. Nom donné à l'ensemble des colonies juives établies hors de Palestine, en raison des diverses déportations et émigrations.

Diatessaron de Tatien. Texte combiné ou → *concorde* des Évangiles, et de quelques matériaux apocryphes, écrit par

Tatien en langue syriaque au IIᵉ siècle. A connu une grande diffusion.

Diatribe *(g. l., gr., entretien).* Forme intermédiaire entre le traité et le dialogue. L'auteur introduit un adversaire ou contradicteur fictif avec lequel il entretient un dialogue sous forme de questions et de réponses, parfois ironiques et parfois pathétiques. Utilise les antithèses piquantes, la personnification, l'argumentation, etc.

Dictionnaires de la Bible. Liste alphabétique des mots et des noms apparaissant dans la Bible, et ayant des relations entre eux, accompagnés de leur explication (cf. liste des instruments de travail, *infra*).

Discours d'adieu → *testament spirituel.*

Dittographie *(gr., écriture double).* Erreur de transcription d'un manuscrit, consistant dans le redoublement d'un élément — lettre, mot, phrase — , p. e. « bible » écrit « bibble ».

Documentaire *(théorie).* Définitivement élaborée par A. Julius Wellhausen (1844-1918), cette théorie soutient la présence de quatre sources principales dans le → *Pentateuque* : → *Yahviste* (J), → *Elohiste* (E), → *Deutéronomique* (D), → *sacerdotal* (P) dans cet ordre chronologique. Théorie aujourd'hui admise, mais soumise récemment à de nouvelles critiques.

Doublet. Répétition d'une même unité littéraire (histoire, proverbe, loi, etc.), mais avec des détails différents. A distinguer des textes parallèles, qui répètent littéralement ou presque littéralement un même texte.

Doxologie. Formule par laquelle on fait la louange de la gloire de Dieu.

Dtr. Sigle du → *Deutéronomiste.*

E

E. Sigle du document ou de la tradition → *Elohiste*.

Ebla. Ville de l'Antiquité, citée dans les textes akkadiens et sumériens, identifiée par les archéologues à l'actuel Tell-Mardikh, près d'Alep (Syrie). On y a découvert, à partir de 1975, quelque 16 000 tablettes cunéiformes du XXIVe siècle avant J.-C., écrites dans une langue sémitique (cf. G. Pettinato, *Ebla, un impero inciso nell'argilia,* Milano, 1979).

École biblique. École pratique d'études bibliques établie au couvent dominicain Saint-Étienne de Jérusalem. Fondée en 1890 par le P. M.-J. Lagrange, en réponse à un désir de Léon XIII. En 1920, elle a été reconnue par le gouvernement français comme École archéologique française de Jérusalem. Publie aux Éd. Gabalda la *Revue biblique,* les *Cahiers de la revue biblique,* ainsi que les commentaires de la collection « Études bibliques ».

Édition critique. Édition du texte biblique établie critiquement, avec l' → *apparat* critique correspondant (cf. liste des instruments de travail, *infra*).

Élégie *(g. l.).* Composition poétique par laquelle on se lamente de la mort de quelqu'un, ou de tout autre malheur, p. e., Lm; 2 S 1, 20-27 (héb., *qînâ*).

Elenchus bibliographicus biblicus *(lat.).* Catalogue annuel des livres et articles publiés sur des sujets bibliques, élaboré annuellement par P. Nober, S.J., et publié comme supplément de la revue *Biblica* de l'Institut biblique pontifical de Rome.

Éléphantine. Ville égyptienne proche de l'actuelle Assouan, où s'établit et vécut pendant plus d'un siècle une communauté juive de la → *diaspora*, pratiquant une forme particulière et contaminée de → *yahvisme*. On y a trouvé des papyrus du Ve siècle avant J.-C., éclairant la vie et les croyances de cette communauté.

Elohiste. Document ou tradition. Une des quatre sources composées dans le royaume du Nord vers 750, qui, selon la théorie → *documentaire*, compose le → *Pentateuque*. Reconnaît Dieu sous le nom d'Elohim, de là vient son nom. Sigle : E.

Épexégétique. Mot ou phrase expliquant ce qui précède. La conjonction de liaison grecque *kai* introduit souvent ce genre d'explication, équivalant parfois aux deux points (:), à « à savoir », etc.

Ephrem *(rescript de* [*lat.* Ephraemi Rescriptus], *codex de).* Ainsi nommé parce que le parchemin a été gratté pour y « réécrire » des œuvres de saint Ephrem. Un des codex importants de la Bible (A. T. et N. T.), en grec, du Ve siècle après J.-C. Des fragments en sont conservés à la Bibliothèque nationale de Paris. Sigle : C.

Épître *(lat.,* epistula). → *lettre.*

Éponyme. Ancêtre duquel une ville, une famille ou une tribu reçoit son origine et son nom. Appliqué également au dignitaire d'État, dont le nom servait à désigner les années en Assyrie. Ex. Israël, du nom du patriarche.

Eschatologie. Doctrine des choses (fins) dernières (gr., *eschata*), des derniers temps; plus concrètement, l'ensemble des espérances exprimées dans l'A. T. et le N. T., concernant la vie future des individus, l'avenir d'Israël et de toute l'humanité à l'époque → *messianique.* G. l. : genre littéraire ordinairement prophétique, cherchant à décrire les événements décisifs de la fin de l'histoire. Ce genre comprend habituellement un jugement militaire ou judiciaire, qui décide du sort des bons et des mauvais, accompagné de phénomènes cosmiques et de l'instauration du règne définitif de Dieu (Is 24-27; 65-66; Ez 38-39, etc.).

Eschatologique. Adjectif du mot précédent.

Eschatologique *(discours).* On appelle ainsi Mt 25 et Mc 13, parce qu'ils traitent de la fin des temps.

Étiologie *(g. l., gr.* aitia, *cause).* Récit par lequel on veut expliquer une coutume, une institution, un nom, un phénomène de la nature, etc., dont la signification originale s'est perdue, p. e. Gn 11, 9; Ex 4, 25-26.

Étymologie. Explication de l'origine d'un mot. Comme recours littéraire, l'étymologie technique ou empirique est exploitée pour expliquer un fait, pour un jeu de mots, pour une organisation narrative. Étymologie populaire : celle qui n'est pas scientifique!

Évangile *(g. l., gr., bonne nouvelle).* Document écrit sur la personne et la prédication de Jésus (→ *Enfance,* Évangiles de l').

Exécration *(texte d').* Vases de céramique (1900 avant J.-C.) sur lesquels sont écrits les noms de villes cananéennes, dans le but de les détruire au cours de quelque rite magique de malédiction. Ces fragments ont été redécouverts récemment (1930) en Égypte. Texte en ANET, p. 328-329, et en J. Briend-M.-J. Seux, *Textes du Proche-Orient ancien et histoire d'Israël,* Paris, 1977, p. 30-36.

33

F

Fable *(g. l.).* Récit dont les personnages sont des animaux ou des végétaux que l'on fait parler ou agir comme des personnes et dont on déduit généralement un enseignement pratique (Jg 9; 2 R 14, 9; etc.).

Famille de manuscrits. Ensemble de manuscrits offrant les mêmes particularités : les mêmes passages ajoutés ou absents, les mêmes fautes, etc.
(→ *recension, Alexandrinus (codex); texte occidental, texte reçu).*

Fertilité *(cultes de la).* Cultes destinés à obtenir la fertilité des champs. Fréquemment, ces cultes comprennent des pratiques sexuelles, auxquelles on accorde un pouvoir magique. Dans l'A. T., ces cultes sont habituellement liés aux Baalim (→ *Baal).*

Formules. Expressions verbales fixées. Elles peuvent soit être inchangeables, soit admettre des substitutions de l'un ou l'autre de leurs éléments. Dans la Bible, on trouve ainsi des formules prophétiques, des formules d'alliance, des formules historiographiques, des formules sapientielles, etc.

Freer *(codex de),* (du nom de la collection). Un des codex importants du N. T., daté du Ve siècle, et contenant les quatre Évangiles en grec. Appelé également codex de Washington, ville où il est conservé. Sigle : W.

G

Gemara *(héb., complément)*. Terme appliqué au commentaire suivi du texte de la → *Mishna,* réalisé par les rabbins de Palestine et de Babylonie. Avec la Mishna, la Gemara sera intégrée plus tard dans le → *Talmud.*

Gématrie. Technique d'interprétation juive des Écritures, basée sur les correspondances numériques des lettres qui servent à indiquer les chiffres.

Généalogie. Tableau des ancêtres d'une personne ou d'un groupe humain.

Genre littéraire. Appellation commune d'un groupe d'œuvres littéraires selon une classification typologique. Cette classification se fait en portant l'attention sur trois critères :
> *a)* matériel : argument ou thème;
> *b)* formel : structures, procédés, formules;
> *c)* milieu de vie : origine et usage.
> → *action de grâces, alliance, anecdote, apocalypse, béatitude, bénédiction, chant, credo, malheur à, diatribe, élégie, enfance des héros, eschatologie, étiologie, évangile, fable, guerre sainte, hymne, légende, lettre, litige, malédiction, oracle, parabole, pénitentielle (liturgie), prophétique (liturgie), psaume, saga, symbolique (action), testament spirituel, vision, vocation.*

Genres *(analyse historique des)*. Méthode d'exégèse étudiant l'origine et l'évolution d'un → *genre littéraire.* Appliquée surtout au N. T.

Glose. Un ou plusieurs mots n'appartenant pas au texte original ajoutés ultérieurement pour expliquer le texte, l'améliorer ou l'adapter. Normalement, une glose se fait dans la marge, ou entre les lignes du texte. Beaucoup de gloses ont fini par pénétrer dans le texte lui-même → *interpolation*.

Glossolalie. Don des langues (1 Co 12, 10; 14, 2-9, etc.).

Gnosticisme *(gr.* Gnôsis, *connaissance).* Doctrines philoso-phico-théologiques du salut de l'homme, diffusées dans les trois premiers siècles de notre ère. Elles supposent le dua-lisme ontologique du Bien (Dieu, le divin) et du Mal (le monde matériel créé par le démiurge). L'homme a en lui une étincelle divine qui doit être libérée de la prison de ce monde pour obtenir le salut dans l'Au-delà, ou l'identifi-cation avec l'être divin. Cette libération est réalisée par étapes de connaissance secrète, et avec l'aide d'intermé-diaires échelonnés. Ces doctrines furent florissantes en de nombreuses écoles et eurent une influence — au moins par opposition — sur quelques écrits du N. T.

Graduels *(psaumes ou cantiques des montées).* Nom de quinze psaumes (Ps 119 à 133), qui, suppose-t-on, étaient récités à l'occasion de la montée en pèlerinage à Jérusalem.

Guemara. → *Gemara.*

Gueniza. Pièce d'une synagogue où étaient conservés les manuscrits défectueux pour l'usage liturgique, en attendant de les enterrer plus tard en terre sacrée, afin de les préserver de toute profanation ou corruption. Dans la gueniza d'une synagogue du Caire, on a ainsi découvert des manuscrits bibliques importants, dont le Siracide en hébreu, et d'autres manuscrits non bibliques.

Guerre sainte. Guerre de religion (g. l.). Le récit des guerres saintes. Selon la reconstruction de G. Von Rad, ce récit comprend les étapes suivantes :

a) préparation liturgique des combattants (y compris parfois la continence sexuelle);

b) oracle anticipé de promesse de la victoire;

c) bataille (comme action de Dieu) et panique des ennemis;

d) anathème (extermination rituelle);

e) action de grâces.

H

H. Sigle du → *code de sainteté* (all. *Heiligkeit*).

Hagada *(ou Haggada, ou Agada, de l'héb., annoncer, raconter).* Interprétation juive de l'Écriture, qui cherche à exhorter. Utilise le récit édifiant. Parallèle de la → *halaka* (pur énoncé des lois), elle lui sert fréquemment d'appui.

Hagadique. Adjectif du mot précédent.

Hagiographe. En général, auteur sacré. Plus concrètement, c'est le nom chrétien donné au troisième groupe des livres du → *canon juif* (→ *Ketubim*).

Halaka *(héb., marcher, cheminer, se conduire).* Interprétation juive de l'Écriture, dont le but est d'en déduire des normes éthiques et juridiques pour la conduite de l'individu ou de la communauté. Parallèle de la → *Hagada,* qui est de type plus édifiant.

Halakique. Adjectif du mot précédent.

Hapax legomenon *(gr.).* Nom donné à un mot qui ne se trouve qu'une seule fois dans le texte biblique.

Haplographie *(gr., écriture simple).* Erreur dans la transcription d'un manuscrit, consistant dans l'omission de l'un de deux éléments semblables consécutifs, p. e., « les suites de » transcrit : « les uites de ».

Harmonie des Évangiles. Édition du texte des quatre Évangiles, entremêlés pour former un seul récit (« Les quatre Évangiles en un seul »). L'exemple le plus ancien est le → *Diatessaron* de Tatien.

Harmonisation. Au plan de la → *critique textuelle,* opération consistant à changer le texte, dans le but de le faire coïncider avec le texte correspondant d'un autre auteur ou d'un autre livre, ou avec un passage semblable du même livre.

Hébraïsme. Tournure propre à la langue hébraïque employée dans une autre langue, p. e., Mt 6, 22-23 : « Si ton œil est bon » devient « si tu es généreux ».

Hébreu. Langue ouest-sémitique dans laquelle est écrite la majeure partie de l'A. T. Très semblable à l' → *araméen,* elle a été supplantée par cette dernière comme langue vivante à partir de l'exil à Babylone, au Ve siècle avant notre ère, mais est demeurée comme langue littéraire ou académique.

Hellénisme. Terme appliqué à la culture hellénique, lorsqu'elle se diffusa dans le monde habité à partir des conquêtes d'Alexandre le Grand. L'hellénisme parvint à être pratiquement la culture universelle.

Hellénistique. Adjectif du mot précédent.

Hellénistiques *(communautés).* Communautés appartenant à la culture de l' → *hellénisme* (→ *judaïsme*).

Hémistiche. Moitié ou partie d'un → *stique* ou d'un verset.

Hendiadys *(gr., un par deux).* Figure rhétorique consistant à employer deux mots ou expressions coordonnés pour exprimer un seul concept, p. e. « il reprit la parole et dit » = « il dit encore ».

Hénothéisme. Adoration d'un seul Dieu, sans pour autant nier l'existence d'autres dieux étrangers (→ *monothéisme; polythéisme*).

Heptateuque *(gr., sept tomes).* Dénomination de l'ensemble formé par le → *Pentateuque,* Jos et Jg, constituant, selon certains auteurs, une unité littéraire.

Héracléenne *(version).* N. T. Version syriaque du N. T. réalisée par Thomas d'Héraclée (VIIᵉ siècle après J.-C.).

Héraut *(proclamation du). (g. l.).* Dans la littérature biblique, les prophètes (Is 55) et les sages (Pr 1, 20 ss) imitent la proclamation du héraut.

Herméneutique. Science des principes d'interprétation du texte biblique. Elle doit établir combien de → *sens* a la Bible (noétique), comment trouver le sens véritable (heuristique) et comment l'exposer (prophoristique). L'explication du texte, selon ces principes, est l'exégèse.

Terme appliqué également à l'étude philosophique du problème de l'interprétation.

Enfin, on appelle « nouvelle herméneutique » les courants herméneutiques postérieurs à R. Bultmann : Ebeling, Fuchs, etc.

Heuristique. Partie de l' → *herméneutique.*

Hexaples d'Origène. Œuvre qui présentait en six colonnes parallèles le texte hébreu et grec (diverses versions) de la Bible, avec des notes critiques (IIIᵉ siècle). Seulement quelques fragments sont parvenus jusqu'à nous.

Hexateuque *(gr., six tomes).* Dénomination de l'ensemble formé par le → *Pentateuque* et Jos, constituant, selon certains auteurs, une unité littéraire.

Hifil. Nom de l'une des conjugaisons du verbe hébreu qui a pour valeur la voix active-causative; p. e. faire tuer (actif-causatif du verbe « tuer »).

Histoire des formes *(all.,* Formgeschichte). → *genres (analyse historique des).*

Histoire de la rédaction (*all.* Redaktiongeschichte). → *composition (analyse de la)*.

Histoire des traditions (*all.*, Traditionsgeschichte). → *traditions (analyse des)*.

Histoire du salut (*all.*, Heilsgeschichte). L'histoire du peuple élu considérée du point de vue de Dieu (histoire sainte) : en elle et par elle, Dieu se révèle.

Hitpael. Nom de l'une des conjugaisons du verbe hébreu, qui a pour valeur la voix réflexive, p. e., se tuer.

Hittite. Peuple et culture de la famille indo-européenne, qui envahit le → *Croissant fertile* aux alentours de 2000 avant J.-C. La capitale fut *Hattus*, l'actuelle Bogazköy (Turquie).

Hofal. Nom de l'une des conjugaisons du verbe hébreu, qui a pour valeur la voix causative-passive; p. e. se faire tuer (= faire être tué).

Homeoarcton. → *Homeoteleuton.*

Homeoteleuton ou **Homoioteleuton** (*gr.*). Erreur dans la transcription d'un manuscrit, consistant à sauter d'un élément à un élément identique, en omettant ce qui est entre les deux, ou, au contraire, passer du second élément une nouvelle fois au premier, répétant ce qui est entre les deux. On appelle cette erreur omission ou répétition par *homeoteleuton* (fin identique), ou par *homeoarcton* (début identique).

Hourrite. Peuple non sémite ayant envahi le → *Croissant fertile* vers le XVIIIᵉ siècle avant J.-C. Les documents, culturels et commerciaux, découverts à → *Nuzi* illustrent beaucoup de coutumes patriarcales (→ *Mitanni, Mari*).

Humani generis. Encyclique de Pie XII, concernant l'interprétation de l'Écriture (1950).

41

Hymne *(g. l.).* Chant célébrant la gloire unique de Dieu révélée dans la nature et dans l'histoire, et spécialement dans l'histoire d'Israël, et célébrant également sa royauté et la venue de son règne. Quelquefois, l'hymne célèbre Sion comme siège du Temple. L'hymne comprend généralement un invitatoire, un développement (énumération et développement des motifs de louange) et une conclusion.

Imprécation. → *malédiction.*

Inclusion. Procédé littéraire consistant à enchâsser une unité littéraire entre deux mots ou phrases identiques ou équivalents, p. e. Mt 4, 23 et 9, 35.

Inerrance. Qualité de l'Écriture, conséquence de l' → *inspiration,* en vertu de laquelle elle est exempte d'erreur. Aujourd'hui, en un sens plus positif, on préfère parler de la « vérité » de l'Écriture.

Inspiration. Action de Dieu, de l'Esprit-Saint sur les auteurs sacrés en vertu de laquelle leurs écrits sont reconnus comme Parole de Dieu.

Inspiré. Adjectif du mot précédent.

Institut biblique *(Pontificio Istituto Biblico).* Centre d'études supérieures bibliques et orientales, fondé par Pie X (1909) à Rome, pour toute l'Église catholique, et confié aux pères jésuites. A publié la revue *Verbum Domini* jusqu'en 1970. Publie *Biblica, Orientalia,* et diverses collections scientifiques.

Intention de l'auteur. En opposition aux significations possibles des mots et des phrases, on entend par là le sens concret et spécifique que l'auteur a voulu exprimer. La même opposition peut se formuler ainsi : ce que l'auteur dit et ce qu'il veut dire. En d'autres termes encore, il s'agit du contenu intentionnel d'un texte. L'intention de l'auteur est un principe de base — mais non le seul — de l'interprétation (→ *littéral, sens*).

Interpolation. Section ou fragment d'un texte ayant été intercalé par une main étrangère à l'intérieur de l'original (→ *glose*).

Intertestamentaire. Terme appliqué à la période historico-biblique qui va du IIe siècle avant J.-C. au IIe siècle après J.-C., et qui a produit un type spécial de littérature juive et judéo-chrétienne (→ *apocryphe*) (cf. A. Paul, *Intertestament,* CahEv 14, Paris, 1974).

Introït. Liturgie d'entrée : rite célébré à la porte du temple, destiné à préparer et à sélectionner ceux qui peuvent être admis à l'intérieur. Peut comprendre : la référence à une procession et un dialogue par lequel on explique les conditions d'admission, p. e. Ps 15.

Intronisation. Rite d'inauguration d'un règne, ou fête de commémoration du début du règne. Selon S. Mowinckel, il existait en Israël une fête d'automne qui commémorait et représentait cultuellement l'intronisation de Dieu comme Roi d'Israël, ou comme Roi de l'Univers.

Ipsissima verba *(lat.).* Nom donné à quelques-unes des paroles du N. T., considérées comme ayant été prononcées par Jésus lui-même.

J

J. Sigle du document ou de la tradition → *yahviste,* mis par écrit en Juda aux Xe-IXe siècles avant J.-C.

JE. Sigle de la rédaction-compilation → *jéhoviste* (on utilise également le sigle R[JE]. Écrit sous Ezéchias (716-687) à Jérusalem.

Jéhoviste. Compilation réalisée sur la base des sources J. (yahviste) et E. (elohiste) du Pentateuque, après la chute de Samarie (722 avant J.-C.).

Jubilé *(année du).* Selon la législation de Lv 25, c'est l'année qui conclut le cycle de sept années → *sabbatiques,* c'est-à-dire, tous les 49 ou 50 ans. Pour cette année jubilaire, la Loi prescrit des pratiques précises quant au contenu social, concernant la répartition des terres, l'affranchissement des esclaves, la remise des dettes, etc.

Judaïsant. Terme appliqué aux juifs convertis au christianisme, venant du mouvement pharisien, et qui prétendaient faire suivre aux chrétiens les prescriptions du judaïsme (cf. Ac 15, 5).

Judaïsme. Nom donné à partir du retour de l'exil à l'organisation politico-religieuse du peuple élu, et à sa culture (en opposition à l' → *hellénisme*).

Jugement de Dieu. Jugement ou procès dans lequel on en appelle à la sentence de Dieu, laquelle doit se manifester en une série de rites convenus (cf. Nb 5, 11 ss).

K

Kabbale. → *cabale.*

Kairos *(gr.).* En opposition à *chronos,* temps, *kairos* est le terme qui désigne les moments d'importance décisive concernant le salut, et en particulier, ce moment d'importance décisive qu'est le temps → *eschatologique.*

Kénose *(gr., abaissement).* Originairement, l'action de « se dépouiller de... ». En un sens technique, terme appliqué à l'acceptation de la condition humaine, de la part du Fils de Dieu (cf. Ph 2, 7).

Kénotique. Adjectif du mot précédent.

Kérygme *(gr., proclamation).* Terme appliqué à la prédication de l'événement ou noyau central de la foi chrétienne (salut par la mort et la résurrection du Christ); prédication faite en forme de témoignage pour susciter la foi de l'auditeur.

Kérygmatique. Adjectif du mot précédent. Relatif à la proclamation du message.

Ketib *(héb., écrit).* « Ce qui est écrit » dans le texte → *massorétique,* en opposition au « Qeré » (ce qui doit être lu à la place du Ketib; p. e. → *tétragramme*); Qeré et Ketib sont des notes marginales des → *massorètes* pour la vocalisation du texte écrit seulement avec des consonnes.

Ketubim *(héb., écrits).* Dans le → *canon* juif des Écritures, désigne l'ensemble des livres suivants : Ps, Pr, Jb, les cinq Megillot ou « rouleaux » (Ct, Rt, Lm, Qo, Est), Dn, Esd, Ne, Ch (→ *hagiographe*).

Koinè *(gr., [langue] commune).* Désigne le grec courant parlé dans l'ensemble du monde méditerranéen hellénisé. Langue « commune » utilisée par les auteurs du N. T. Nom donné également au → *texte reçu,* ou *texte byzantin.*

L

Lamentation. → *élégie.*

Leçon. → *variante.*

Légende *(g. l.).* Selon Gunkel → *saga* de type religieux.
Cf. P. Gibert, *Une théorie de la légende. Hermann Gunkel et les légendes de la Bible.* « Bibliothèque d'ethnologie historique », Paris, éd. Flammarion, 1979.

Lettre *(g. l.).* Discours ou exposé par écrit, adressé à des personnes déterminées.

Litige. → *procès.*

Littéral. Sens, appelé aussi « histoire » (au sens du latin : *historia*). Premier des quatre sens bibliques traditionnels : celui qui ressort des mots mêmes du texte, en tenant compte des figures de langage (→ *allégorie, exégèse*).

Logia *(gr., pluriel de* logion). Bien qu'appliqué à toutes sortes de sentences brèves et isolées, ce terme se réfère surtout, en un sens plus précis et technique, aux maximes de caractère → *parénétique* ou *sapientiel* de Jésus. Dans la théorie des → *Deux Sources,* → *Q* serait une collection de logia.

M

Macarisme *(gr.* makarios, *heureux, g. l.).* Annonce d'un bonheur présent ou futur (Ps 1; Mt 5, 3-11). On dit également, d'après le mot latin, « béatitude ».

Magnificat. *(lat.).* Parole initiale (dans la Vulgate) et nom donné au cantique de Marie en Lc 1, 46-55.

Majuscules. → *onciaux* (manuscrits).

Malédiction *(g. l.).* Formule littéraire d'annonce ou de souhait d'un malheur à une personne ou à un groupe. Fréquemment, les malédictions sont groupées en série (Dt 28). Elles sont l'un des éléments de l' → *Alliance.*

Malheureux! *(héb.,* Hoy; *lat.,* Vae). Forme littéraire par laquelle on annonce une disgrâce à quelqu'un. Commence habituellement par l'interjection « Malheur à » ou « Malheureux êtes-vous » (Lc 6, 24-26). On ajoute parfois la cause.

Manuscrits bibliques. → Famille de manuscrits, recension, codex (cf. liste des codex et versions, *infra*).

Mari. Ville mésopotamienne, située sur l'Euphrate, où ont été découvertes de nombreuses archives → *cunéiformes* (de 1730 à 1690 environ avant J.-C.), donnant des précisions intéressantes sur les mouvements des immigrants sémites dans la vallée du Tigre depuis 2500 environ avant J.-C. (→ *Amorrites, Hourrites*).

Massore *(héb., tradition).* Terme appliqué à l'ensemble des signes vocaliques et autres signes de ponctuation et de lecture du texte de la Bible hébraïque, élaborés par les → *Massorètes.*

Massorètes. Juifs qui se sont consacrés à la critique textuelle (750-1000 après J.-C.). → *texte massorétique.*

Massorétique *(texte).* → *texte massorétique.*

Mérisme *(ou synecdoque).* Expression d'une totalité par l'une de ses parties, ou d'une série, par l'un ou l'autre de ses membres. P. e., « jeunes et vieux » = tous; « montagnes et vallées » = tous les accidents géographiques (cf. Ps 148).

Messager *(formule du).* Formule prononcée par le messager, pour introduire celui qui l'envoie et qui est l'auteur du message (p. e. « Ainsi parle le Seigneur »).

Messianique. Adjectif de → *Messie (*→ *secret messianique).*

Messianisme. Ensemble des idées, oracles et espérances de l'A. T., se référant non seulement au → *Messie,* mais encore plus généralement à la fin des temps. ou plus exactement au Règne définitif de Dieu.

Messie *(héb.,* oint; *gr.* christos). Terme appliqué au grand prêtre, au roi, aux patriarches et à leur famille, à Cyrus. En un sens technique, désigne un personnage de l'avenir qui instaurera définitivement le Règne de Dieu.

Midrash *(héb.* darash, *expliquer).* Terme hébraïque désignant une méthode d'interprétation, ainsi que le résultat produit par cette méthode. Méthode de caractère plutôt homélitique. Au pluriel, *midrashim* est le terme employé pour désigner les œuvres littéraires (commentaires bibliques) compilées tardivement en de grandes collections. Les auteurs juifs modernes réservent les termes de *midrash* et *midrashim* aux textes → *hagadiques,* en opposition au Talmud (cf. R. Bloch, « Midrash », *D.B.S.,* t. V).

Milieu de vie *(ou situation vitale; all.,* Sitz im Leben). Terme forgé par H. Gunkel, s'appliquant aux circonstances sociologico-religieuses typiques dans lesquelles est apparu et employé un → *genre littéraire.*

Minuscules. Manuscrits → *codex* du texte biblique en grec. Plus de 2 500 sont conservés. On les appelle ainsi parce qu'ils sont écrits, non pas en onciales (→ *onciaux,* majuscules), mais avec des petites lettres (minuscules) et dans une écriture cursive. Ce type d'écriture s'est répandu à partir de Constantinople au IXe siècle après J.-C. (cf. liste des codex, *infra*).

Mishna *(héb., répétition).* On appelle ainsi l'ensemble de la loi orale juive, c'est-à-dire les traditions non recueillies dans l'Écriture. Terme presque équivalent à celui de → *halaka.* Cet enseignement de la loi orale sera mis en forme à partir du IIe siècle après J.-C., et formera plus tard une partie du → *Talmud* (cf. liste des sigles et abréviations : Traités de la Mishna et des Talmuds, *infra*).

Mitanni. État important du nord de la Mésopotamie, entre Nuzi et Harrân. Semble avoir été formé vers 1600 avant J.-C. par l'union des → *Hourrites* et des → *Amorrites,* sous la coupe d'une classe dirigeante indo-aryenne.

Modèle. → *Pattern.*

Monolâtrie *(gr.).* Culte rendu à un Dieu unique.

Monothéisme. Confession et adoration d'un Dieu unique, excluant l'existence de tous les autres dieux adorés dans le → *polythéisme.*

Montées *(Cantique des).* → *Graduels, psaumes.*

Mot-crochet. Procédé rédactionnel consistant à lier diverses unités littéraires par la répétition à l'intérieur de chacune d'entre elles du même mot ou de la même phrase. P. e., « anges » en Hb 1, 4 et 1, 5.

Mythe. Récit symbolique, consistant à expliquer une condition fondamentale, cosmique ou humaine, en remontant à ses origines supposées dans un espace et un temps primordiaux, ordinairement de caractère religieux → *démythisation*.

Nag-Hammadi. Localité égyptienne, où on a découvert en 1946 des textes gnostiques importants, écrits en copte, du ive siècle après J.-C., et en particulier celui qu'on appelle l'*Évangile de Thomas*.

Neblim *(héb. prophètes).* Dans le → *canon* juif des Écritures, désigne l'ensemble des livres suivants : Prophètes antérieurs (Jos, Jg, S, R); prophètes postérieurs (Is, Jr, Ez et les douze petits prophètes).

Néotestamentaire. Qui concerne le Nouveau Testament.

Nifal. Nom de l'une des conjugaisons du verbe hébreu, qui a pour valeur la voix passive-simple; p. e., être tué.

Noétique. → *Herméneutique.*

Nombre symbolique. On appelle ainsi certains nombres dotés d'une valeur qualitative, outre leur valeur quantitative. Ainsi, trois = le divin; quatre = la totalité cosmique et humaine; sept-huit = totalité et plénitude; etc.

Numérique *(structure).* Structure qui prend pour base quelques nombres symboliques, p. e., le récit des Plaies d'Égypte, qui utilise les nombres 3, 7 et 10 (Ex 7-11).

Nunc Dimittis *(lat.).* Paroles initiales (dans la Vulgate) et nom donné à la prière de Siméon en Lc 2, 29-32.

Nuzi. Ville hourrite à l'est de Tigris (nord de l'Irak actuel) où ont été découvertes des milliers de tablettes d'argile (xve-xive siècle avant J.-C.), source d'informations de valeur sur les coutumes sociales de l'époque patriarcale.

O

Onciaux *(manuscrits).* Codex majuscules du texte biblique en grec. On les appelle ainsi parce qu'ils sont écrits, non pas en écriture cursive, mais avec les lettres majuscules (onciales), grandes et séparées. Type d'écriture utilisé jusqu'au IXᵉ siècle après J.-C. (cf. liste des codex, *infra*).

Onomasticon *(gr.).* Collection de noms bibliques, de personnes et de lieux, avec leurs explications réelles ou supposées.

Oracle *(g. l.).* Nom commun sous lequel on désigne une parole prononcée (= énoncé) par un prophète. Peut-être :
— Oracle de salut, annonçant la libération prochaine d'un malheur, ou un salut futur, p. e., eschatologique. Comprend habituellement la formule « Ne crains pas », le mal duquel on sera libéré, et la promesse d'aide.
— Oracle contre les nations (païennes) (→ *litige*).

Ordalie. → *Jugement de Dieu.*

Ostracon ou **Ostrakon** (*gr. pluriel* ostraca). On appelle ainsi les fragments d'un vase d'argile (= tessons), employés comme matériau d'écriture.

Ougaritique ou **Ugaritique.** Langue et littérature d'un peuple ouest-sémitique, résidant à Ougarit (Ras-Shamra), sur la côte nord de la Syrie, vers 2000-1200 avant J.-C. La majorité des tablettes découvertes, écrites en → *cunéiforme* sont des XVᵉ-XIVᵉ siècles avant J.-C. et constituent un témoignage important de la culture cananéenne à l'époque de la conquête israélite.

P. Sigle du document ou de la tradition sacerdotale du Pentateuque selon la théorie documentaire (all., *Priestercodex*).

P ^{45}, P ^{46}, P ^{52}. Sigle de divers papyrus bibliques (cf. liste des codex et manuscrits, *infra*).

Palimpseste *(gr.).* Parchemin dont l'écriture originale a été grattée pour l'utiliser de nouveau pour écrire un autre texte.

Papyrus. Tiges de roseau, séchées et tressées, servant de matériau pour l'écriture. Une partie des textes bibliques nous a été conservée sur des papyrus (cf. liste des codex et manuscrits, *infra*).

Parabole *(g.l.).* Récit symbolique d'où découle un enseignement pratique de type théologique ou moral.

Paradigmatique. Adjectif de → *paradigme*.

Paradigme. Terme utilisé en linguistique qui, essentiellement, désigne le champ ou l'enchaînement d'éléments linguistiques équivalents ou interchangeables par leur forme, leur contenu, ou leur usage, à l'intérieur d'un → *syntagme*.
— Modèle (p. e., conjugaison d'un verbe).

Paradosis *(gr.).* Désignation technique de la transmission du message évangélique, à partir des Apôtres. On applique également ce terme au message apostolique lui-même. *(→ tradition).*

Parallélisme. Procédé très fréquent dans la poésie hébraïque et orientale, consistant principalement à répéter une même idée — ou son contraire —, à l'aide de correspondances de formes (syntaxiques, rythmiques, etc.). Si les contenus sont équivalents, on l'appelle parallélisme synonymique; s'ils sont contraires, parallélisme antithétique. On peut trouver encore d'autres relations.

P. e., Ps 37 : « Ne me châtie pas dans ta colère, ne me reprends pas dans ton courroux. »

Parénèse *(gr., exhortation).* Passages bibliques dans lesquels domine le ton exhortatif propre des enseignements moraux pratiques : Discours du Dt; Jc; finale de Rm, etc.

Parénétique. Adjectif du mot précédent.

Parousie *(gr., entrée).* Terme technique du N. T., au sens → *eschatologique,* par lequel on désigne la venue définitive du Seigneur.

Pastorales *(lettres ou épîtres).* Nom donné à trois lettres du → *corpus paulinien,* 1 et 2 Tm, Tt.

Patriarches. Personnages bibliques dont les traditions nous sont conservées en Gn 12-50 (Abraham, Isaac, Esaü, Jacob...).

Pattern *(angl., modèle).* Structure stable qui admet la substitution d'éléments par équivalence, p. e., les schémas des genres littéraires.

Pénitentielle *(liturgie).* Pratique cultuelle destinée à demander pardon pour les péchés (cf. Jl 1-2).

(G. l.). Employé dans les liturgies pénitentielles, ou imitant ces liturgies. Ce genre comprend habituellement :

— dénonciation du péché, faite au nom de Dieu en forme de → *litige* ou *procès;*

— Confession des péchés et demande de pardon;

— Absolution, qui peut avoir la forme d'un → *oracle* de salut : Ps 50; 51; Ne 9.

Pénitentiels *(psaumes).* Nom liturgique traditionnel de sept psaumes : Ps 6; 31; 37; 50; 101; 109 et 142 (selon la numérotation de la Vulgate, utilisée par la liturgie). Dans ces psaumes, sont exprimés la douleur et la confession des péchés, le repentir, la demande de pardon à Dieu, et la confiance en sa miséricorde.

Pentateuque *(gr., cinq tomes).* Nom par lequel on désigne l'ensemble des cinq premiers livres de la Bible : Gn, Ex, Lv, Nb et Dt. Constitue la → *Tora* ou loi juive (cf. liste du Canon).

Pentateuque samaritain. → *samaritain.*

Péricope *(gr., découpé autour).* Section d'un texte biblique, formant à elle seule une unité de sens. P. e., un psaume, un récit, une parabole, un miracle.

Personnalité corporative *(angl.,* corporate personality). Terme forgé par H. Wheeler Robinson pour désigner :
— la représentation et/ou la responsabilité de toute la communauté en la personne de son chef;
— la solidarité de tous les membres de la communauté à un moment historique donné, et/ou au travers de son histoire, p. e., Adam, le fils de l'homme...

Peshitta ou **Peshitto** *(syriaque, commune).* C'est la version syriaque la plus célèbre et la plus étendue de la Bible. Texte établi avec stabilité depuis le Ve siècle après J.-C. Sigle : SyrP.

Peuples de la Mer. Mouvement de groupes divers d'envahisseurs, venant du sud et du sud-ouest de l'Europe, qui s'établirent dans les îles et sur les côtes orientales de la Méditerranée, la Palestine y comprise, aux XIIIe-XIIe siècles avant J.-C. Parmi ces peuples, il semble qu'il faille inclure les → *Philistins.*

Phénicien. Langue et culture de la population originaire de la côte libanaise, dont l'existence est attestée à partir de 1200 avant J.-C. De nombreuses inscriptions phéniciennes sont conservées. Avant cette date, on les appelle → *Cananéens.*

Philistins. → *Peuples de la Mer.*

Piel *(héb.).* Nom de l'une des conjugaisons du verbe en hébreu, qui a pour valeur la voix intensive-active; p. e. massacrer ou assassiner (actif-intensif du verbe « tuer »).

Plénier *(sens; lat.,* sensus plenior). Terme forgé par A. Fernandez en 1925, pour désigner un sens de l'Écriture plus profond que le sens → *littéral,* mais non exprimé clairement par l'auteur humain. On le découvre dans les paroles de l'Écriture quand on les étudie à la lumière d'une révélation ultérieure, d'un passage plus tardif de la Bible elle-même, ou en fonction d'une meilleure compréhension de la Révélation : p. e., Mt 1, 23; 2, 15... On l'appelle aussi sens supralittéral (Lagrange), *altior sensus,* etc.

Polyglotte. Bible imprimée en diverses langues, disposées en colonnes parallèles, p. e. la Polyglotte *Complutense,* la Polyglotte d'Anvers (cf. liste des instruments de travail, *infra*).

Polythéisme. Reconnaissance et adoration de plusieurs dieux.

Postilla *(lat., ensuite).* Explication brève qu'on a coutume de trouver à la suite du texte.

Prière sacerdotale. Nom donné à la prière qui conclut le discours d'adieu de Jésus à la dernière Cène (Jn 17).

Prise à témoin. → *Serment.*

Procès *(héb.,* rîb; *g. l.).* Discours qu'une partie qui se considère offensée adresse à une autre partie, affirmant et sa
propre innocence, et la culpabilité de l'autre. Peut inclure
le fondement de la relation (alliance ou contrat) entre les
deux parties, la description de la faute, des offenses, et parfois, l'offre de la possibilité d'arrangements. En langage
technique, on appelle habituellement ce schéma de litige
« jugement contradictoire ». Son usage est très fréquent
dans la prédication prophétique (Is 1, 10-20; Jr 2-3).
On le trouve également dans le culte, comme faisant partie
d'une liturgie → *pénitentielle* (Ps 50-51).

Profession de foi. → *Credo.*

Prophète cultuel. Prophète lié au culte dans son activité prophétique.

Prophétie. Annonce prophétique.

Prophétique *(liturgie) (g. l.).* Composition prophétique qui
reprend ou imite les schémas et formules des actes litur-
giques, afin de transmettre un message. N'est pas destinée
à l'usage liturgique; p. e., Jl 1-2, Mi 7.

Prophoristique. → *herméneutique.*

Prosélyte *(gr., celui qui est venu s'ajouter).* Païen converti au
judaïsme.

Protévangile. Nom donné à la parole de Dieu en Gn 3, 15.

Protocanoniques. Livres qui furent admis très tôt dans le
→ *canon* de l'Écriture, sans qu'il y ait eu besoin de discussions difficiles au sujet de leur → *inspiration.* Ce sont les
livres des bibles catholiques, à l'exception des → *deutérocanoniques* (cf. liste du Canon, *infra*).

Proverbe. Phrase, de forme fixe, exprimant une pensée de type sapientiel : p. e. « Vin nouveau, ami nouveau; laisse-le vieillir, et tu le boiras. » (Si 9, 10b.)

Providentissimus Deus *(lat.)*. Encyclique de Léon XIII (1893) sur l'Écriture Sainte.

Psaumes. Chacun des 150 textes qui composent le livre du même nom, ou texte semblable dans d'autres livres (→ *graduels,* royaux, pénitentiels).

Pseudépigraphe. Écrit attribué à un auteur fictif. Nom donné par les protestants aux livres que les catholiques appellent → *apocryphes* de l'A. T. (cf. liste du Canon, *infra*).

Pseudonymie. Procédé qui consiste à mettre sous le nom d'un auteur déjà connu et consacré une œuvre qui ne lui appartient pas, afin de donner à cette œuvre plus d'autorité et de prestige; p. e., Is 40-55, 2 Pi, etc.

Pual *(héb.)*. Nom de l'une des conjugaisons du verbe hébreu qui a pour valeur la voix passive-intensive, p. e., être massacré ou être assassiné.

Q

Q. Initiale du mot allemand *Quelle,* source. Dans la théorie des → *Deux Sources* (Weise, Wilke), Q. désigne l'une des deux sources hypothétiques des évangiles synoptiques, composée surtout de → *logia.*

Qal *(héb.).* Nom de l'une des conjugaisons du verbe hébreu, qui a pour valeur la voix active simple.

Qeré. → *Ketib.*

Qumran ou **Qoumrân.** Localité ou monastère des Esséniens, situé à l'angle nord-ouest de la mer Morte, à 15 km au sud de Jéricho. A l'intérieur de onze grottes localisées dans un rayon de quelques kilomètres autour de ce monastère, ont été découverts les restes de quelque six cents manuscrits, datant du IIIe siècle avant J.-C. au Ier siècle après J.-C., entreposés dans des jarres d'argile. Une grande partie de ces manuscrits sont bibliques (Is, Si, et autres livres ou fragments de l'A. T.).

R

R. Sigle de → *rédacteur,* p. e. R^JE = rédacteur → *jéhoviste.*

Royaux *(psaumes).* Un certain nombre de psaumes qui, par leur contenu, se réfèrent au roi ou à la royauté (Ps 2; 18; 20-21; 42; 72; etc.).

Recension. En critique textuelle de la Bible, reconstruction d'un texte unique à partir de manuscrits de provenances diverses, afin de le substituer aux textes divergents ou incorrects existants. De la recension peut provenir toute une série ou → *famille de manuscrits.*

Rédacteur. Nom donné au compositeur, surtout au dernier d'entre eux, d'un livre sacré. Dans cette composition, le rédacteur a employé, en quantité notable, des matériaux littéraires antérieurs à lui. Est désigné par le sigle R, parfois spécifié par d'autres lettres en exposant : R^J, R^JE.

Reste d'Israël. Petite partie du peuple de Dieu qui, selon la prédication des prophètes, échappe à la ruine commune en exécution du châtiment de Dieu, et continue ainsi l'histoire du Salut, p. e. Is 4, 3.

Rylands *(papyrus).* Le plus ancien papyrus conservé du N. T. (1re moitié du IIe siècle), trouvé en Égypte en 1935. Contient, recto-verso, Jn 18, 31-33. 37-38. Appartient à la John Rylands Library de Manchester. Sigle : P^52.

S

S. Sigle utilisé parfois pour le codex → *Sinaïticus* (autre sigle : **א**).

Sabbatique *(année).* Année de jachère des terres, revenant normalement tous les sept ans. La législation de l'année sabbatique se trouve en Lv 25 (→ *jubilé*).

Sacerdotal. Document ou tradition. Une des quatre sources qui, selon la théorie → *documentaire,* composent le → *Pentateuque.* Désigné par la lettre P, initiale du mot allemand *Priestercodex,* ou Code des prêtres. Fut composé durant l'exil (IVᵉ siècle avant J.-C.) dans les cercles sacerdotaux déportés de Jérusalem à Babylone.

Saga. Concept emprunté à la littérature scandinave, équivaut aux chansons de geste ou poèmes épiques du Moyen Age. H. Gunkel applique ce terme surtout aux récits patriarcaux.

Samaritain. En un sens restreint, langue et culture de la population du royaume du Nord (Israël) à partir de la conquête assyrienne (721 avant J.-C.).

Samaritain *(Pentateuque).* Seuls livres inspirés reconnus par les Samaritains, conservés actuellement en hébreu, écrits en caractères anciens, antérieurs à l'écriture → *carrée.*

Sapientiel. Appartenant ou relatif aux livres sapientiaux de l'A. T. (cf. liste du Canon, *infra*), ou à la mentalité et aux modes d'expression de ces livres-là.

Secret messianique. W. Wrede a identifié dans l'évangile de Marc un thème spécial : Jésus impose le silence sur son messianisme (Mc 1, 25; 5, 43; 8, 30...). L'interprétation de cette demande de secret de la part de Jésus a été très discutée.

Sémite. Un des rameaux des populations qui se partagent l'humanité. Selon la Bible, les Sémites sont la descendance de Sem (Gn 10).

Sémitisme. Forme syntaxique ou tournure d'une langue sémitique traduite dans une autre langue, p. e., « fils d'Israël » pour « Israélites » (→ *hébraïsme*), « fils d'homme » pour « homme ».

Sens bibliques. → *allégorie; spirituel* (sens); *littéral* (sens); *typique* (sens); *herméneutique.*

Septante. La plus importante version grecque de l'A.T., réalisée entre 250 et 150 avant J.-C. (?), déjà connue et citée par les auteurs du N. T. Elle nous a été conservée par les grands onciaux B A S et quelques autres. Selon la légende de la *Lettre d'Aristée,* c'est la traduction unique, réalisée par soixante-douze savants juifs, en Égypte, au temps des Ptolémées. Sigle : LXX. On dit « La Septante » ou « Les Septante ».

Serment ou **Prise à témoin.** Affirmation ou promesse solennelle de quelque chose, impliquant un caractère sacré. Prendre Dieu à témoin de ce qui est dit ou promis. Utilise la formule hébraïque, dont la traduction littérale est : « Qu'ainsi m'advienne, que Dieu me châtie, si... ou si... ne pas... » (cf. Job 31).

Sermon sur la montagne. Discours de Jésus en Mt 5-7 (cf. Lc 6, 20-49).

Sinaïticus *(codex).* L'un des plus importants codex grecs de l'A. T. et du N. T., daté du IVe siècle. Est conservé au British Museum de Londres. Sigle : S ou **ℵ**.

Sitz im Leben. → *Milieu de vie.*

Sommaire. Forme littéraire présentant un résumé de l'activité ou de l'enseignement d'un personnage ou d'un groupe (Jésus, Israël, la communauté, etc.) p. e., Mt 4, 23; Ac 4, 32-35.

Spirituel *(sens).* Dans l'exégèse ancienne → *sens biblique* qui se superpose au sens → *littéral* ou *historique.* Quand il s'agit de l'A. T., se réfère habituellement au mystère du Christ. Selon la répartition médiévale des sens bibliques, comprend l' → *allégorie,* la → *tropologie* et l' → *anagogie* (→ *allégorique, exégèse).*

Spiritus Paraclitus *(lat.).* Encyclique de Benoît XV sur l'Écriture Sainte (1920).

Stique *(gr., rangée).* Ligne d'écriture. Les scribes anciens des → *papyrus* et manuscrits se servaient de différents nombres de lettres par ligne (sticométrie) et de lignes par page, qu'on notait parfois à la fin de celles-ci. En poésie, stique désigne habituellement un vers.

Sticométrie. → *Stique.*

Structurale *(analyse).* Méthode exégétique qui applique à l'interprétation de l'Écriture les principes de la grammaire structurale, ou, plus généralement, du structuralisme.

Structure. Organisation des divers éléments ou facteurs d'un texte.
— Structure structurante : schéma qui s'emploie pour organiser un texte littéraire. Demeure sous-jacente au texte dont on peut l'en extraire.

— Structure structurée : le texte organisé selon une structure concrète.

— Structure de surface : structure manifestée par les éléments formels du texte.

— Structure profonde : structure qui est implicite dans le texte, bien qu'elle ne soit pas manifestée formellement. (→ *concentrique, structure*).

Structurelle *(analyse).* Cherche à établir les structures littéraires de surface d'un texte.

Sumérien. Langue et culture de la population du sud de la Mésopotamie, antérieures à l'akkadien. Par l'invention de l'écriture et d'autres valeurs culturelles, exerça une grande influence dans tout le Proche-Orient ancien.

Symbolique *(action).* Sorte de pantomime par laquelle le prophète annonce un événement en le représentant par des gestes. Équivaut à un oracle (p. e., Ez 4).

G. l. : le récit d'une action symbolique comprend normalement :

— ordre du Seigneur;

— exécution de cet ordre par le prophète, devant le peuple;

— explication du sens de l'action symbolique.

Symmaque. Version grecque de l'A. T., faite par l'Ebionite Symmaque vers l'an 200 de notre ère.

Synchronique. On applique ce terme à l'étude d'une réalité ou d'un texte, considéré dans la coexistence et la simultanéité de ses éléments (→ *diachronique*).

Synopse *(gr., d'un seul coup d'œil).* Texte des Évangiles disposés en colonnes parallèles.

Synoptique *(question).* L'ensemble des problèmes concernant les sources, la composition et les dépendances mutuelles des Évangiles → *synoptiques.*

Synoptiques *(Évangiles).* Nom donné, depuis Griesbach (1776) aux évangiles de Mt, Mc et Lc, parce qu'on peut disposer leur texte en colonnes parallèles et apprécier ainsi, d'un seul regard, leurs ressemblances et leurs différences.

Syntagme. Terme utilisé en linguistique, signifiant normalement l'union organique d'éléments linguistiques, mais appliqué par les auteurs avec assez de souplesse : il peut signifier l'union de termes qui résument ou fondent leurs signifiés, ou l'union syntaxique avec coordination ou avec régime, ou l'union de discours.

Le syntagme narratif est l'union organique des éléments narratifs dans un récit (→ *paradigme*).

Syro-hexaplaire *(version).* A. T. version syriaque de la cinquième colonne des → *hexaples d'Origène.* Réalisée en Égypte durant les années 615-677 après J.-C.

Syro-palestinienne *(Bible).* Nom donné à un lectionnaire des Évangiles du Vᵉ siècle après J.-C., écrit en araméen occidental.

T

Talion *(loi du).* Loi énoncée dans le code de l'Alliance (Ex 21, 23-25; cf. Lv 24, 19-20; Dt 19, 18-21), consistant à infliger comme châtiment la même peine ou le même préjudice : « œil pour œil, dent pour dent ».

Talmud *(héb.).* Ensemble de la Loi orale juive, mise par écrit. Le Talmud se compose de la → *mishna,* de son commentaire, la → *gemara,* et d'autres traditions appelées *baraïtot.* Il existe deux talmuds principaux : le Talmud de Jérusalem (Tj), du IVe siècle après J.-C., composé en Palestine et connu également sous le nom de Talmud palestinien ou Talmud occidental; le Talmud de Babylone (Tb), du Ve siècle, composé par l'Académie de Sura, qui a supplanté le précédent par son autorité et son ampleur. C'est de ce dernier qu'il est question lorsqu'on parle de Talmud, sans donner d'autres précisions.

Targum *(héb.).* Traduction paraphrasée des textes bibliques en araméen, réalisée par les juifs de Palestine et de Babylonie, pour le service de la synagogue. Les principaux targums existant aujourd'hui sont : les targums du Pentateuque (Onqélos ou de Babylone, Pseudo-Jonathan ou de Palestine, les fragments de la Guenizah du Caire, le Néophiti I); le targum des prophètes (ou de Jonathan ben Uzziel), et celui des hagiographes (des psaumes et de Job, des « Cinq rouleaux », et des Chroniques).

Tell *(héb.).* Colline artificielle, en forme de cône tronqué formée par les restes et les ruines des périodes successives d'habitation humaine.

Temura *(héb.)*. Technique d'interprétation juive des Écritures, basée sur le changement ou la permutation de lettres.

Tanak *(héb.)*. Terme d'hébreu moderne formé avec les initiales de → *Tora,* → *Nebiim,* → *Ketubim,* et qui signifie : la Bible hébraïque.

Testament spirituel *(g. l.)*. Discours mis dans la bouche d'un personnage important, avant sa mort. Il se compose généralement de souvenirs, de normes et exhortations pour le temps d'après sa mort, et se conclut par une bénédiction et une prière finale.

Tétragramme. Désignation technique du nom propre de Dieu en hébreu, composé des quatre lettres Y H W H. La prononciation semble avoir été « Yahvé ». Les → *Massorètes* avaient mis sous les consonnes Y H W H les voyelles de Adonaï, pour indiquer qu'il ne fallait pas lire le nom sacré, mais le remplacer par Adonaï, Seigneur. « Jehovah » est un barbarisme : on a lu les consonnes Y H W H avec les voyelles d'Adonaï!

Texte alexandrin. Texte grec très ancien (IVe-Ve siècle après J.-C.) du N. T., écrit sur des papyrus et des codex en provenance d'Égypte, et qui est surtout représenté par les onciaux B et S et d'autres papyrus et codex.

Texte byzantin. → *Textus receptus.*

Texte massorétique. Texte hébreu de l'A. T., transmis sans variations consonantiques appréciables, depuis l'époque de Rabbi Aqiba (IIe siècle après J.-C.) et vocalisé par les → *massorètes* (représentants de la tradition des scribes). Ce texte est conservé principalement par le manuscrit de Léningrad, daté de 1008 ou 1009. Sigle : T.M.

Texte occidental. Texte grec très ancien du N. T., attesté par le manuscrit oncial D, et les anciennes versions latines et syriaques, et quelques-uns des Pères. A connu une grande diffusion dans l'Église ancienne. A notamment des variantes intéressantes pour les Actes.

Textes parallèles. → *doublet.*

Textus receptus *(lat.)* ou **texte reçu.**

Pour l'A. T., on appelle ainsi la Bible rabbinique découverte à Venise en 1518. Elle contient le texte de l'A. T., ainsi que la → *massore,* le → *targum,* et une sélection de commentaires juifs médiévaux. Norme de toutes les bibles hébraïques imprimées jusqu'à il y a peu de temps.

Pour le N. T., il s'agit du texte grec, appelé aussi *koinè* ou texte byzantin. Publié par Érasme sur la base de quelques manuscrits et de la Vulgate, et enrichi postérieurement par Robert Estienne d'un apparat critique dans lequel sont utilisés plus de manuscrits. Ce texte est la base de toutes les traductions du N. T. en langues vulgaires jusqu'au XIXᵉ siècle. Sigle : T.R.

Théodotion *(version de).* Version grecque de l'A. T. réalisée vers 180 avant J.-C., à partir d'une révision antérieure du texte.

Théophanie. Manifestation extraordinaire de Dieu, accompagnée de phénomènes spéciaux dans la nature, ou sous d'autres aspects.

Théologie biblique. Partie de la science biblique qui présente systématiquement le contenu doctrinal soit de la Bible tout entière, soit des divers auteurs sacrés, soit des thèmes, etc.

Théorie. Type d'exégèse pratiqué par l'École d' → *Antioche.*

On emploie ce terme lorsque, pour un fait historique réellement arrivé, on indique en plus un autre fait, futur, plus grand et plus parfait (→ *typologie*).

Tiqquné Soferim *(héb.)*. Corrections des scribes. Ensemble des passages du → *T.M.* ayant souffert de corrections pour des motifs théologiques.

Titre. Appellation d'une personne qui fait référence à son nom, à sa charge, etc. En théologie biblique, il faut relever l'importance des titres donnés à Dieu (Dieu d'Israël, le Très-Haut, etc.) et au Christ (Messie, Seigneur, Fils de Dieu, etc.).

T.M. *(sigle du)* → *texte massorétique.*

Torah ou **Tora** *(héb.)*. La loi des juifs. Ce sont les cinq livres du → *Pentateuque.*

T.R. *(sigle du)* → *texte reçu* ou *textus receptus.*

Tradition. Terme se référant surtout à un concept de contenu (thèmes, motifs, événements) stable, qui se transmet d'ordinaire avec des changements de formes, par oral, par écrit ou en pratique : traditions patriarcales, traditions de la dynastie davidique, etc.

Traditions *(analyse des)*. Pour beaucoup d'auteurs, l'analyse des traditions s'identifie à l'analyse de la → *composition.* Dans le cas où on les distingue, cette dernière étudiera plutôt le résultat final, tandis que l'analyse des traditions étudie le processus. Pour l'A. T., on parle presque exclusivement d'histoire des traditions.

Traduction de la Bible. → *liste* des codex et versions, *infra.*

Trito-Isaïe ou **Trito-Esaïe.** Nom donné à l'auteur anonyme et inconnu, supposé par la critique, de Is 56-66, ou de ses parties principales.

Tropologie. Troisième des quatre sens bibliques médiévaux, et deuxième des sens → *spirituels* (→ *allégorie, exégèse*).

Typique *(sens).* Sens plus profond que le sens → *littéral,* ayant trait aux choses de l'Écriture (personnes, lieux, événements, institutions, etc.), afin que, en accord avec l'intention de l'auteur divin, celles-ci préfigurent les choses futures (Rm 5, 14; 1 Co 10, 6) (→ *typologie*).

Typologie. Relation entre deux éléments dont le premier (type) préfigure et annonce le second (antitype). La typologie biblique a pour fondement un lien historique.

U

Ugaritique. → *Ougaritique.*

Ur-Markus *(all.).* → *Deux Sources (théorie des).*

V

Variante *(leçon).* Choix de lecture dans une tradition textuelle ou littéraire.

Vaticanus *(codex).* Un des plus importants codex grecs de la Bible (A. T. et N. T.), du IVe siècle après J.-C., sigle B.

Vétérotestamentaire. Qui concerne l'Ancien Testament.

Version. Cf. liste des codex et versions, *infra.*

Vetus latina *(lat.).* Nom générique d'une traduction très ancienne (depuis le IIe siècle après J.-C.) des textes bibliques en latin. Sigle : VL. On l'appelle aussi « Itala », sigle : It.

Vg. Sigle de la → *Vulgate.*

Vision. Un des moyens de la révélation de Dieu. La vision peut être imaginaire, en songe, ou de quelque autre mode.
G. l. : c'est un genre prophétique d'annonce de l'avenir. Habituellement, ce genre comprend les éléments suivants :
— présentation de l'image que Dieu fait voir au prophète;
— description de cette image;
— explication du sens de la vision.

Vocation. Appel venant de Dieu à une personne, un groupe, un peuple, en vue d'une mission spécifique.

G. l. : récit de cet appel. Cet appel comprend :
— théophanie;
— nomination de l'appelé;
— rite de consécration;
— mission ou envoi.

La vocation peut arriver en réalité, ou en vision, et inclut parfois la résistance de l'appelé, ainsi qu'un oracle de Dieu qui le conforte (p. e., Is 6; Jg 6).

Vulgate. Nom sous lequel on désigne la traduction de la Bible en latin, élaborée par saint Jérôme au IVe siècle.

Le Concile de Trente l'a déclarée « authentique », c'est-à-dire normative pour l'Église latine et préférable aux autres textes latins dans l'usage pratique. Sigle : Vg.

W

W. Sigle du codex de → *Freer.*

Washington *(codex de)* → *Freer.*

Y

Yahvisme. Religion de l'Ancien Testament qui reconnaît Yahvé comme Dieu Unique.

Yahviste. Document ou tradition. Un des quatre documents dont est composé le → *Pentateuque,* selon la théorie → *documentaire.* Désigné par le sigle : J., ce document emploie pour Dieu le nom de Yahvé, et de là vient sa désignation. Écrit en Juda, à la fin du Xe siècle avant J.-C., sera uni plus tard au document → *élohiste,* formant ainsi la compilation JE ou → *jéhoviste.*

Z

Ziggurat. Temple en forme de tour, constitué par une série de plates-formes de brique en escalier. Ce type de construction est connu dans toute la Mésopotamie depuis la plus haute Antiquité. Celle de Babylone est célèbre. Ces ziggurats ont été mises en relation avec la tour de Babel de Gn 11.

TERMES ALLEMANDS

Abschiedsrede	Discours d'adieu. Testament spirituel
Aetiologie	Étiologie
Agrapha	Agrapha
Alexandrinische Schule	École d'Alexandrie
Allegorese	Exégèse allégorique
Allegorie	Allégorie
Allegorische Exegese	Exégèse allégorique
Alphabetischer Lied	Poème alphabétique
Amarnabriefe	Lettres d'El-Amarna
Amphyctionie	Amphictyonie
Anagoge	Anagogie
Analogie des Glaubens	Analogie de la foi
Anathem	Anathème
Anamnese	Anamnèse
Anthropomorphismus	Anthropomorphisme
Apokalyptik	Apocalyptique
Apokriph	Apocryphe
Apophthegm	Apophtegme
Autor	Auteur
Axe, semantische	Axe sémantique
Axe, semiotische	Axe sémiotique
Baal	Baal
Bannfluch	Anathème
Baraytot	Baraïtot
Benedictus	Benedictus
Bergpredigt	Sermon sur la montagne
Bibelinstitut	Institut biblique

Bibellexicon	Dictionnaire biblique
Biblische Archäologie	Archéologie biblique
Biblische Kommission	Commission biblique
Biblische Sinne	Sens bibliques
Brief	Épître, lettre
Briefe	Lettre
Bund	Alliance
Bundesbuch	Code de l'Alliance
Catenentext	Chaîne
Charisma	Charisme
Comma Johanaeum	Comma johannique
Credo	Credo
Danksage, Danklied	Action de grâces
Dekalog	Décalogue
Deuterojesaja	Deutéro-Isaïe ou Deutéro-Esaie
Deuterokanonisch	Deutérocanonique
Deuteronomisch	Deutéronomique
Deuteronomist	Deutéronomiste
Deuteronomium	Deutéronome
Diachronie	Diachronie
Diaspora	Diaspora
Diatribe	Diatribe
Discours, Rede	Discours
Doxologie	Doxologie
Dublette	Doublet
Eid	Serment, prise à témoin
Echtheit	Authenticité
École biblique	École biblique
Elohist. Quelle / Tradition (E)	Document ou tradition élohiste

Entmythisierung	Démythisation
Entmythologisierung	Démythologisation
Epistel	Épître
Eponym	Éponyme
Eschatologie	Eschatologie
Etymologie	Étymologie
Evangelium	Évangile
Fabel	Fable
Fluchtexte	Textes d'exécration
Formgeschichte	Histoire des formes
Gattungen	Genres littéraires
Gefangenschaftsbriefe	Lettres de la Captivité
Geistlicher Sinn	Sens spirituel
Gemara	Gemara (ou Guemara)
Genealogie	Généalogie
Glaubensbekenntnis	Confession de foi
Glossolalie	Glossolalie
Glossa	Glose
Gnostizismus	Gnosticisme
Gottesgericht — Urteil	Jugement de Dieu, ordalie
Geniza	Geniza
Haggada	Aggada
Hagiograph	Hagiographe
Halacha	Halaka
Halleluja	Alléluia, psaume alléluiatique
Hapax legomenon	Hapax legomenon
Harmonisierung	Harmonisation
Heiliger Krieg	Guerre sainte
Heiligkeitsgesetz (H)	Code de sainteté
Heilsgeschichte	Histoire du Salut
Henotheism	Hénothéisme

79

Hermeneutik	Herméneutique
Heroenkindheit	Enfance des héros
Hexateuch	Hexateuque
Hymne	Hymne
Inclusion	Inclusion
Interpolation	Interpolation
Intertestamentlich	Intertestamentaire
Inspiration	Inspiration
Irrtumslosigkeit	Inerrance
Isotopie	Isotopie
Jahwist	Yahviste
Jahwistische Quelle (J)	Document ou tradition yah-viste
Jehovist	Jéhoviste
Jesus ben Sira	Jésus ben Sirac
Judaisierend	Judaïsant
Judaism, Judentum	Judaïsme
Kabbala	Cabale (ou Kabbale)
Kairos	Kairos
Kalender	Calendrier
Kanon	Canon
Kanonisch	Canonique
Kanonizität	Canonicité
Karten	Cartes (géographiques de Palestine...)
Katholische Briefe	Épîtres catholiques
Kenosis	Kénose
Keramik	Céramique
Kerygma	Kérygme
Ketib	Ketib
Ketubim	Ketubim

Kindheitsevangelien	Évangiles de l'enfance
Klage	Lamentation
Klagelied	Lamentation, élégie
Kodex	Codex
Königspsalmen	Psaumes royaux, psaumes du règne
Konkordanz	Concordance
Korpus, paulinisches·	Corpus paulinien
Kosmologie	Cosmologie
Kritischer Apparat	Apparat critique
Leben-Jesu-Forschung	Recherche sur la vie de Jésus
Lexem	Lexème
Literarkritik	Critique des sources
Litteralsinn	Sens littéral
Logia (logion)	Logia (sing., logion)
Manuskript	Manuscrit
Massoreten	Massorètes
Massoretischer Text	Texte massorétique
Messianisch	Messianique
Messias	Messie
Midrasch	Midrash
Mischna	Mishna
Modernism	Modernisme
Muster	Modèle, ang. *pattern*
Mythos	Mythe
Nebiim	Nebiim
Nomaden	Nomade
Offenbarung	Révélation
Orakel	Oracle
Ostrakon, ostraka	Ostracon, ostraca

81

Palimpsest	Palimpseste
Palingenese	Palingenèse
Papyrus	Papyrus
Parabel	Parabole
Paradigma	Paradigme
Paradosis	Paradosis, tradition
Parenese	Parénèse
Parallelism	Parallélisme
Parusie	Parousie
Pastoralbriefe	Lettres ou épîtres pastorales
Pentateuch	Pentateuque
Perikope	Péricope
Poesie, hebräische	Poésie hébraïque
Priesterliches Gebet	Prière sacerdotale
Priesterschrift	Tradition ou document sacerdotal/codex sacerdotal
Proforistik	Prophoristique
Proselyt	Prosélyte
Protoevangelium	Protévangile
Protokanonisch	Protocanonique
Psalm	Psaume
Pseudoepigraph	Pseudépigraphe
Q	Source
Quelle	Source, document
Quellentheorie	Théorie documentaire
Qere	Qeré
Qumran	Qumran ou Qoumran
Redaktionsgeschichte	Histoire de la rédaction
Religionsgeschichte	Histoire des religions
Rhythmus	Rythme

Scheltrede	Diatribe
Schwur	Serment, prise à témoin
Segen	Bénédiction
Seligpreisung	Béatitude
Sema	Sème
Septuaginta	Les Septante, LXX
Sitz im Leben	Milieu de vie, situation vitale
Spruch	Proverbe
Stichwort	Mot-crochet
Streitgespräch	Procès, litige (héb., *rîb*)
Struktur	Structure
Strukturelle Analyse	Analyse structurale
Synchronie	Synchronie
Synoptische Evangelien	Évangiles synoptiques
Synoptische Frage	Question synoptique
Syntagma	Syntagme
Talmud	Talmud
Targum	Targum, targoum
Tell	Tell
Tenak	Tanak
Testament	Testament
Tetragramm	Tétragramme
Textkritik	Critique textuelle
Theophanie	Théophanie
Theoria	Théorie
Thora	Torah (Tora, Thora)
Titel	Titre
Tradition	Tradition
Traditionsgeschichte	Histoire des traditions
Tritojesaja	Trito-Isaïe
Typischer Sinn	Sens typique
Typologie	Typologie

Übersetzung	Traduction
Überlieferung	Tradition
Ugarit	Ugarit, Ougarit
Unzial	Oncial
Urchristentum	Christianisme primitif
Urteil (Gottes)	Jugement de Dieu, ordalie
Verfluchung	Malédiction
Vision	Vision
Weheruf	Malheur (annonces de). Malheureux!
Zitat, unbezeichnetes	Citations implicites
Zusammenfassung, summarie	Sommaire
Zwei, — Quellen, Theorie / Hypothese	Théorie ou hypothèse des Deux Sources.

TERMES ANGLAIS

Account	Récit
Acrostic	Acrostiche
Alexandrian School	École d'Alexandrie
Allegorical exegesis	Exégèse allégorique
Allegorization	Allégorisation
Allegory	Allégorie
Alphabetical song	Poème (ou chant) alphabétique
Amphictyony	Amphyctionie
Anagogy	Anagogie
Analogy of faith	Analogie de la foi
Anathema	Anathème
Anecdote	Anecdote
Antiochene School	École d'Antioche
Antitype	Antitype
Apocrypha	Apocryphe
Apophtegm	Apophtegme
Author's meaning	Intention de l'auteur
Biblical meaning	Sens biblique
Book of the Covenant	Livre (ou Code) de l'Alliance
Cabala	Cabale ou Kabbale
Calendar	Calendrier
Captivity letters	Lettres ou épîtres de la Captivité
Casuistic law	Loi casuistique
Catholic letters	Lettres ou épîtres catholiques

Ceramics	Céramique, poterie
Charism	Charisme
Chiasma, chiasm	Chiasme
Chronicler	Chroniste
Codex	Codex, code
Complaint	Élégie, lamentation
Corporate personality	Personnalité corporative
Covenant	Alliance
Critical apparatus	Apparat critique
Demythologization	Démythisation, démythologisation
Deuteronomic	Deutéronomique
Deuteronomist	Deutéronomiste
Diachronic	Diachronique
Dittography	Dittographie
Documentary hypothesis	Hypothèse documentaire
Doublet	Doublet
Doxology	Doxologie
Epistle	Épître
Eponym	Éponyme
Eschatology	Eschatologie
Etymology	Étymologie
Fable	Fable
Farewell discours	Discours d'adieu, testament spirituel
Fertile Crescent	Croissant fertile
Form criticism	Critique des formes
Gloss	Glose
Gospel	Évangile
Gospel harmony	Harmonie des Évangiles

Hagiographa	Hagiographes
Haplography	Haplographie
Harmonization	Harmonisation
Hebrew poetry	Poésie hébraïque
Hendiadys	Hendiadys
Henotheism	Hénothéisme
Heptateuch	Heptateuque
Hermeneutics	Herméneutique
Historical criticism	Critique historique
Holiness Code	Code de sainteté
Holy war	Guerre Sainte
Hymn	Hymne
Inerrancy	Inerrance
Infancy Gospels	Évangiles de l'enfance
Inspiration	Inspiration
Interpolation	Interpolation
Intertestamental	Intertestamentaire
Johannine Comma	Comma johannique
Jubilee	Jubilé
Judaism	Judaïsme
Judaizing	Judaïsant
Judgment of God	Jugement de Dieu, ordalie
Lamentation	Lamentation
Letters	Lettres
Link-work	Mot-crochet
Literal sense (meaning)	Sens littéral
Literary genres	Genres littéraires
Malediction	Malédiction
Manuscript	Manuscrit

87

Messiah	Messie
Myth	Mythe
Oath	Serment, prise à témoin
Oracle	Oracle
Palimpsest	Palimpseste
Papyrus	Papyrus
Parable	Parabole
Paradigm	Paradigme
Parallelism	Parallélisme
Pattern	Modèle
Priestly	Sacerdotal
Priestly prayer	Prière sacerdotale
Prophecy	Prophétie
Proselyte	Prosélyte
Protocanonical	Protocanonique
Psalm	Psaume
Pseudoepigraphon	Pseudépigraphe
Quarell	Procès, litige (héb., *rîb*)
Redaction history	Histoire de la rédaction
Redactor	Rédacteur
Remnant	Reste
Revelation	Révélation
Rhythm	Rythme
Royal psalms	Psaumes royaux
Sabbatical year	Année sabbatique
Salvation history	Histoire du Salut
Sensus plenior (fuller sense)	*Sensus plenior,* sens plénier
Setting	Milieu de vie (all., *Sitz im Leben*)

Source	Source
Spiritual meaning	Sens spirituel
Stich	(Mot) Crochet
Structural	Structural
Summary	Sommaire
Synchrony	Synchronie
Synopsis	Synopse
Synoptic question	Question synoptique
Syntagma	Syntagme
Tell	Tell
Testament	Testament
Textual criticism	Critique textuelle
Thanksgiving	Action de grâces
Theophany	Théophanie
Theory	Théorie
Title	Titre
Tradition	Tradition
Translation	Traduction
Two-source theory	Théorie des Deux Sources
Typical sense	Sens typique
Typology	Typologie
Uncials (manuscripts)	Onciaux
Variant reading	Leçon variante
Western text	Texte occidental
Yahwist	Yahviste

TERMES ESPAGNOLS

Acción de gracias	Action de grâces
Acróstico	Acrostiche
Agrapha	Agrapha
Alegoría	Allégorie
Alegorismo	Allégorisme
Alianza	Alliance
Anagogía	Anagogie
Análisis estructural	Analyse structurale
Analogía de la fe	Analogie de la foi
Anámnesis	Anamnèse
Anatema	Anathème
Anfictionía	Amphictyonie
Antitipo	Antitype
Antropomorfismo	Anthropomorphisme
Año Sabático	Année sabbatique
Aparato crítico	Apparat critique
Apocalíptico	Apocalyptique
Apodíctica, Ley	Loi apodictique
Apócrifo	Apocryphe
Aramaísmo	Aramaïsme
Armonización	Harmonisation
Autenticidad	Authenticité
Autor	Auteur
Ayes	Malheur (annonces de) Malheureux!
Bendición	Bénédiction
Bienaventuranzas	Béatitudes

Cábala	Cabale ou Kabbale
Cadenas	Chaînes
Calendario	Calendrier
Canon	Canon
Canonicidad	Canonicité
Carisma	Charisme
Cartas Católicas	Lettres ou épîtres catholiques
Cartas de la Cautividad	Épîtres de la Captivité
Casuística, ley	Loi casuistique
Citas implícitas	Citations implicites
Códice	Codex
Códice Alejandrino	Codex alexandrin (*Alexandrinus :* A ou)
Código Sacerdotal	Code sacerdotal (= P)
Código de Santidad	Code ou Loi de Sainteté
Concordancia	Concordance
Concordia evangélica	Harmonie évangélique
Confesión de fe	Confession de foi
Corpus paulino	Corpus paulinien
Credo	Credo
Crítica histórica	Critique historique
Crítica literaria	Critique littéraire
Crítica textual	Critique textuelle
Cuestión sinóptica	Question synoptique
Decálogo	Décalogue
Desmitización	Démythisation
Desmitologización	Démythologisation
Deuterocanónico	Deutérocanonique
Diacronía	Diachronie
Diatriba	Diatribe
Discurso	Discours
Discurso de despedida	Discours d'adieu
Dittografía	Dittographie

Documentaria, teoría	Théorie documentaire
Dos fuentes, teoría de las	Théorie des Deux Sources
Duplicado	Doublet
Doxología	Doxologie
Eje semántico	Axe sémantique
Elegía	Élégie, lamentation
Elohista	Élohiste
Endíadis	Hendiadys
Epístola	Épître
Epónimo	Éponyme
Escatología	Eschatologie
Escuela de Alejandría de Antioquía	École d'Alexandrie, d'Antioche
Estico	Stique
Estructural	Structural
Etimología	Étymologie
Etiología	Étiologie
Evangelio	Évangile
Evangelios de la infancia	Évangiles de l'enfance
Exégesis	Exégèse
Fábula	Fable
Fórmula	Formule
Fuente	Source
Genealogía	Généalogie
Géneros literarios	Genres littéraires
Glosa	Glose
Glosolalía	Glossolalie
Gnosticismo	Gnosticisme
Guerra santa	Guerre sainte
Hagiógrafo	Hagiographe
Hebraísmo	Hébraïsme

Henoteísmo	Hénothéisme
Heptateuco	Heptateuque
Hermenéutica	Herméneutique
Heurística	Heuristique
Himno	Hymne
Historia de la redacción, Análisis histórico de la composición	Histoire de la rédaction
História de las formas, Análisis histórico de géneros	Histoire des formes
História de la salvación	Histoire du Salut
Inclusión	Inclusion
Inerrancia	Inerrance
Infancia de héroes	Enfance des héros
Inspiración	Inspiration
Intención del autor	Intention de l'auteur
Interpolación	Interpolation
Intertestamentario	Intertestamentaire
Jehovista	Jéhoviste
Jubileo	Jubilé
Judaísmo	Judaïsme
Judaizante	Judaïsant
Juicio de Dios	Jugement de Dieu
Juramento	Serment, prise à témoin
Kairos	Kairos
Kénosis	Kénose
Kérigma	Kérygme
Lamentación	Lamentation
Lectura variante	Variante (lecture ou leçon)
Ley	Loi

Literal, sentido	Sens littéral
Litigio	Procès, litige (héb., *rîb*)
Maldición	Malédiction
Masoretas	Massorètes
Media Luna Fértil	Croissant fertile
Mesías	Messie
Mito	Mythe
Oración Sacerdotal	Prière sacerdotale
Oráculo	Oracle
Palabra-enlace	Mot-crochet
Palimpsesto	Palimpseste
Papiro	Papyrus
Parábola	Parabole
Paradigma	Paradigme
Paralelismo	Parallélisme
Patrón	Modèle, patron (*pattern*, ang.)
Penitencial	Pénitentielle (liturgie)
Pentateuco	Pentateuque
Perícopa	Péricope
Pleno, Sentido	*Sensus plenior*, sens plénier
Politeísmo	Polythéisme
Profecía	Prophétie
Prosélito	Prosélyte
Protocanónico	Protocanonique
Protoevangelio	Protévangile
Proverbio	Proverbe
Pseudoepígrafo ou *Seudoepígrafo*	Pseudépigraphe
Recensión	Recension
Redactor	Rédacteur

Relato	Récit
Resto	Reste
Ritmo	Rythme
Salmos aleluyático	Psaumes alléluiatiques
Salmos reales	Psaumes royaux
Salmos graduales	Psaumes graduels : Cantiques des Montées
Sentidí Bíblico espiritual típico	Sens biblique, spirituel, typique
Sincronía	Synchronie
Sinopsis, Sinópticos	Synopse, Synoptiques
Sintagma	Syntagme
Sumario	Sommaire
Teofanía	Théophanie
Teología	Théologie
Teoría	Théorie
Testamento	Testament
Texto	Texte
Tipología	Typologie
Título	Titre
Tradición	Tradition
Traducción	Traduction
Yahvista	Yahviste

TERMES ITALIENS

Agiografo	Hagiographe
Alleanza	Alliance
Alleanza, Codice della	Code de l'Alliance
Allegoria	Allégorie
Allegorica, esegesi	Exégèse allégorique
Alleluiatico, Salmo	Psaume alléluiatique
Anagogico senso	Sens anagogique
Analisi Strutturale	Analyse structurale
Anatema	Anathème
Anfizionia	Amphictyonie
Apax legomenon	Hapax legomenon
Apocalittica	Apocalyptique
Apocrifo	Apocryphe
Armonizzazione	Harmonisation
Asse	Axe
Autenticità	Authenticité
Autore	Auteur
Beatitudine	Béatitude
Benedizione	Bénédiction
Cabala	Cabale ou Kabbale
Calendario	Calendrier
Canone	Canon
Canonicità	Canonicité
Carisma	Charisme
Catene	Chaîne
Cattività, lettere della	Lettres ou épîtres de la Captivité

Cattoliche, lettere	Lettres ou épîtres catholiques
Chiasmo	Chiasme
Citazioni implicite	Citations implicites
Codice	Code, codex
Codice di Santità	Code de sainteté
Comma Giovanneo	Comma johannique
Concordanza	Concordance
Confessione di fede	Confession de foi
Corpus paolino	Corpus paulinien
Critica letteraria, storica, testuale	Critique littéraire, historique, textuelle
Demitizzazione, Demitologizzazione	Démythisation, Démythologisation
Deuterocanonico	Deutérocanonique
Diatriba	Diatribe
Discorso della montagna	Sermon sur la montagne
Discorso di addio	Discours d'adieu, testament spirituel
Doppione	Doublet
Dossologia	Doxologie
Due fonti, teoria	Théorie des Deux Sources
Elegia	Élégie, lamentation
Eloista	Élohiste
Enoteismo	Hénothéisme
Epistola	Épître
Ermeneutica	Herméneutique
Esateuca	Hexateuque
Escatologia	Eschatologie
Esecrazione, testi di	Textes d'exécration
Favola	Fable
Fonti, teoria delle	Théorie documentaire

Generi letterari	Genres littéraires
Giudaismo	Judaïsme
Giudaizzante	Judaïsant
Giudizio di Dio	Jugement de Dieu
Giuramento	Prise à témoin
Glossa	Glose
Glossolalia	Glossolalie
Guai	Malheur (annonces de). Malheureux! (esp. *Ayes*)
Guerra santa	Guerre Sainte
Inclusione	Inclusion
Inerranza	Inerrance
Infanzia degli eroi	Enfance des héros
Infanzia, Vangeli della	Évangiles de l'enfance
Inno	Hymne
Interpolazione	Interpolation
Intertestamentario	Intertestamentaire
Ispirazione	Inspiration
Javista	Yahviste
Jehovista	Jéhoviste
Lamentazione	Lamentation
Legge di Santità	Loi de sainteté, Code de sainteté
Letterale, senso	Sens littéral
Lettere	Lettres, épîtres
Lite	Procès, litige (héb. *rîb*)
Maledizione	Malédiction
Manoscritto	Manuscrit
Messia	Messie
Mezzaluna Fertile	Croissant fertile
Modelle	Modèle (ang., *pattern*)

Onciali	Onciaux (manuscrits)
Oracolo	Oracle
Palinsesto	Palimpseste
Papiro	Papyrus
Parabola	Parabole
Parallelismo	Parallélisme
Parola-gancio	Mot-crochet
Pastorali, lettere	Lettres ou épîtres pastorales
Penitenziale, liturgia	Liturgie pénitentielle
Poliglotta	Polyglotte
Postilla	Postilla
Preghiera sacerdotale	Prière sacerdotale
Profezia	Prophétie
Protovangelo	Protévangile
Proverbio	Proverbe
Questione sinottica	Question synoptique
Racconto	Récit
Recensione	Recension
Redattore	Rédacteur
Regali, salmi	Psaumes royaux
Ringraziamento	Action de grâces
Rivelazione	Révélation
Sabbatico, anno	Année sabbatique
Salmo	Psaume
Sensi biblici	Sens bibliques
Senso	Sens
Sensus plenior	*Sensus plenior*, sens plénier
Sinossi	Synopse
Sommario	Sommaire
Spirituale, senso	Sens spirituel

Storia della forma	Histoire des formes
Storia della redasione	Histoire de la rédaction
Storia della Salvezza	Histoire du Salut
Struttura	Structure
Strutturale	Structural
Teofania	Théophanie
Teoria	Théorie
Testo	Texte
Tipico, senso	Sens typique
Tipologia	Typologie
Tradizione	Tradition
Traduzione	Traduction
Vangelo	Évangile
Volgata	Vulgate

LISTE DU CANON

Ancien Testament

PENTATEUQUE	Gn	Genèse
	Ex	Exode
	Lv	Lévitique
	Nb	Nombres
	Dt	Deutéronome
LIVRES HISTORIQUES	Jos	Josué
	Jg	Juges
	Rt	Ruth
1 et 2 S	Samuel
1 et 2 R	Rois
1 et 2 Ch	Chroniques
	Esd	Esdras
	Ne	Néhémie
	Tb *	Tobie
	Jdt *	Judith
	Eet *	Esther
1 et 2 M *	Maccabées
LIVRES SAPIENTIAUX	Jb	Job
	Ps	Psaumes
	Pr	Proverbes
	Qo	Qohélet (ou Ecclésiaste)
	Ct	Cantique des Cantiques
	Sg *	Sagesse
	Si *	Siracide (ou Ecclésiastique)

LIVRES PROPHÉTIQUES

Is ou Es	Isaïe ou Esaïe
Jr	Jérémie
Lm	Lamentations
Ba*	Baruch
Ez	Ézéchiel
Dn*	Daniel
Os	Osée
Jl	Joël
Am	Amos
Ab	Abdias
Jon	Jonas
Mi	Michée
Na	Nahum
Ha	Habaquq
So	Sophonie
Ag	Aggée
Za	Zacharie
Ml	Malachie

Les livres signalés par un astérisque sont → *deutérocanoniques* ou contiennent des fragments deutérocanoniques. Ces livres sont appelés « apocryphes » par les protestants, et par conséquent, ne sont pas admis dans leur canon. Le canon juif est repris dans les bibles protestantes, bien que selon un ordre différent. Les différences entre les bibles catholiques, protestantes, ou juives concernent sept livres : Tb, Jdt, Sg, Si, Ba (y compris la Lettre de Jérémie), 1-2 M, et des parties de Est et Dn.

Nouveau Testament

ÉVANGILES

Mt	Matthieu
Mc	Marc
Lc	Luc

		Jn	Jean
ACTES		Ac	Actes
CORPUS PAULINIEN		Rm	Romains
	1-2 Co		Corinthiens
		Ga	Galates
		Ep	Éphésiens
		Ph	Philippiens
		Col	Colossiens
	1-2 Th		Thessaloniciens
	1-2 Tm		Timothée
		Tt	Tite
		Phm	Philémon
		He *	Hébreux
ÉPÎTRES CATHOLIQUES		Jc	Jacques
	1 P		Pierre
	2 P *		Pierre
	1 Jn		Jean
	2-3 Jn *		Jean
	Jude *		Jude
APOCALYPSE		Ap	Apocalypse

Les livres signalés par un astérisque sont ou peuvent être → *deutérocanoniques*. Ils sont cependant tous admis dans le canon des bibles protestantes.

LISTE DES APOCRYPHES

Apocryphes de l'Ancien Testament

HISTORIQUES

Livre des Jubilés, ou Petite Genèse, ou encore Apocalypse de
Moïse (ɪɪ^e siècle avant J.-C.)
3e Esdras (ɪɪ^e siècle avant J.-C.)
3e Maccabées (ɪ^{er} siècle avant-ɪ^{er} siècle après J.-C.)
Ascension d'Isaïe (ɪ^{er}-ɪɪ^e siècle après J.-C.)
Testament de Salomon (ɪɪɪ^e siècle après J.-C.)
Paralipomènes de Jérémie (ɪɪ^e siècle après J.-C.)
Écrits adamiques (ɪ^{er}-ᴠɪɪ^e siècle après J.-C.)
Histoire des Réccabites (ᴠ^e-ᴠɪɪ^e siècle après J.-C.)
Roman de Joseph et Asénet (ɪɪɪ^e siècle après J.-C.)
Testament de Job (ɪɪ^e siècle après J.-C.)

PROPHÉTIQUES OU APOCALYPTIQUES

Livres de Hénoch (éthiopien, slave, hébreu; ɪɪ^e siècle avant-
ɪɪ^e siècle après J.-C.)
Assomption de Moïse (ɪ^{er} siècle après J.-C.)
4e Esdras (ɪ^{er} siècle après J.-C.)
Apocalypse de Baruch (syriaque et grecque; ɪɪ^e siècle après
J.-C.)
Apocalypse d'Abraham (ɪ^{er} siècle après J.-C.)
Testament d'Abraham (ɪ^{er}-ɪɪ^e siècle après J.-C.)
Apocalypse d'Élie — Apocalypse de Sophonie (ɪɪ^e-ɪɪɪ^e siècle
après J.-C.)
Apocryphe d'Ézéchiel (antérieur à Flavius Josèphe)
Oracles sibyllins (partie juive : ɪɪ^e siècle avant-ɪɪ^e siècle après
J.-C.; partie chrétienne ɪɪ^e-ɪᴠ^e siècle après J.-C.)

DIDACTIQUES OU MORAUX

Testament des Douze Patriarches (IIe-Ier siècle avant J.-C.)
Psaume 151 de David (derniers siècles avant J.-C.)
Psaumes de Salomon (peu après 63 avant J.-C.)
Odes de Salomon (IIe siècle après J.-C.)
Prière de Manassé
4e Maccabées (avant 70 après J.-C.)

Apocryphes du Nouveau Testament

ÉVANGILES

Évangiles judéo-chrétiens : des Hébreux et des Nazaréens
(fin du Ier siècle), des Ébionites ou des Douze Apôtres (IIe-
IIIe siècle)
Évangile des Égyptiens (IIe siècle)
Protévangile de Jacques, ou Livre de Jacques, ou Histoire de
la nativité de Marie (IIe siècle); Évangile du Pseudo-Mat-
thieu, ou Livre de la naissance de Marie (VIe siècle); Évan-
gile de la nativité de Marie (IXe siècle)
Évangile de Thomas (IIIe siècle, écrit à partir de sources plus
anciennes)
Évangile de Nicodème; Actes de Pilate et Descente aux enfers
(IVe siècle)
Dormition de la Sainte Mère de Dieu, ou *Transitus Mariae*
(IVe-Ve siècle)
Autres évangiles apocryphes : Barthélemy, Philippe, etc.

ACTES

Actes de Pierre (IIe-IIIe siècle); Prédication de Pierre (IIe siècle)
Actes de Paul (IIe siècle)
Actes de Jean (IIe siècle)
Actes de Thomas (IIIe siècle)

Actes d'André (IIe siècle)
Autres actes apocryphes : Philippe, Barthélemy, Barnabé, etc.

ÉPÎTRES
Lettre de Jésus à Abgar (IIe-IIIe siècle)
Épître des Apôtres, ou Dialogue du Seigneur avec les disciples
   après la Résurrection (IIe-IIIe siècle)
Lettres de Paul aux Corinthiens et vice versa
Lettres de Paul aux Laodicéens (IVe siècle)
Correspondance de Paul et de Sénèque (IVe siècle)

APOCALYPTIQUES
Apocalypse de Pierre (IIe siècle)
Apocalypse de Paul (IVe-Ve siècle)
Deux Apocalypses de Notre-Dame (VIIe-IXe siècle); Apo-
   calypse de Thomas (IVe siècle); d'Étienne (Ve siècle), deux
   de Jean (VIe-VIIIe, IXe siècle), etc.

LISTE DES MANUSCRITS, CODEX ET VERSIONS LES PLUS IMPORTANTS

Papyrus

P^{52} Papyrus Rylands
P^{45} Papyrus Chester Beatty
P^{46} Papyrus Chester Beatty
P^{66} Papyrus Bodmer II
P^{75} Papyrus Bodmer XIV-XV

Codex onciaux (majuscules)

B. Codex Vaticanus
S. Codex Sinaïticus (désigné également par א)
A. Codex Alexandrinus
C. Codex d'Éphrem *(Ephraemi Rescriptus)*
D. Codex Bezae ou Cantabrigensis
D. Codex Claramontanus (désigné aussi par le sigle D^p).
W. Codex de Freer ou de Washington

Codex minuscules

1. Conservé à Basilea, XIIe siècle, contient le N. T.
13. Paris, XIIIe siècle, contient les Évangiles
33. Paris, IXe siècle, contient le N. T.
565. Leningrad, IXe siècle, contient les Évangiles
1739. Mont Athos, Xe siècle, contient Ac, Épîtres et annotations des Pères anciens dans la marge

Versions anciennes

GRECQUES :

> LXX (les Septante)
> Théodotion (Théo)
> Symmaque (Sym)
> Aquila (Aq)
> Hexaples d'Origène

SYRIAQUES :

> Peshitta (Pesh)
> Diatessaron de Tatien
> Ancien Testament syro-hexaplaire
> Nouveau Testament héracléen
> Bible syro-palestinienne

LATINES :

> Vetus Latina (ou Vetus Itala)
> Vulgate

AUTRES VERSIONS :

> Coptes (sahidique, bohaïrique)
> Arménienne
> Géorgienne
> Arabe
> Gothique
> Éthiopienne

Tous les manuscrits énumérés ci-dessus ont un article dans la première partie de ce dictionnaire, sous leur nom propre : p. e., Bodner, Vaticanus...; il en est de même pour les versions.

SIGLES ET ABRÉVIATIONS

Livres bibliques

Cf. liste du Canon, *supra.*

Apocryphes de l'Ancien Testament

Ahiqar	Roman akkadien d'Ahiqar
ApAbr	Apocalypse d'Abraham
ApBar(gr)	Apocalypse grecque de Baruch (= 2 Ba)
ApBar(syr)	Apocalypse syriaque de Baruch (= 3 Ba)
ApEl	Apocalypse d'Élie
ApEsd	Apocalypse d'Esdras
ApMo	Apocalypse de Moïse
ApSedrac	Apocalypse de Sédrac
ApSo	Apocalypse de Sophonie
Arist	Lettre d'Aristée
AscIs	Ascension d'Isaïe
AssMo	Assomption de Moïse
3 Esd	3e Esdras
4 Esd	4e Esdras
FrSadod	Fragments Sadocites
HenSl	Hénoch Slave (= 2 Hen)
HenHeb	Hénoch Hébreu (= 3 Hen)
HenEt	Hénoch Éthiopien (= 1 Hen)
HenGr	Fragments Grecs (= 1 Hen)
Jub	Livre des jubilés
J&A	Roman de Joseph et Asénet (livre de la prière d'Aséneth)
J&M	Jannès et Mambrès

LivSib	Livres Sibyllins
3 M	3ᵉ Maccabées
4 M	4ᵉ Maccabées
Meg.Ant.	Megilla d'Antioche
Meg.T	Megilla Taanit
OdSl	Odes de Salomon
OrSib	Oracles Sibyllins
P.Abot	Pirqé Abot
ParJr	Paralipomènes de Jérémie
PsPhilon	Pseudo-Philo (= LAB, Livre des Antiquités bibliques)
PsSl	Psaumes de Salomon
TestAbr	Testament d'Abraham
TestIsaac	Testament d'Isaac
TestJob	Testament de Job
TestSl	Testament de Salomon
TestXII	Testament des Douze Patriarches

As	Asher	**Jud**	Juda
Ben	Banjamin	**Lév**	Lévi
Dan	Dan	**Nep**	Nephtali
Gad	Gad	**Rub**	Ruben
Iss	Issachar	**Sim**	Siméon
Jos	Joseph	**Zab**	Zabulon

VAdE	Vie d'Adam et Ève

Apocryphes du Nouveau Testament

AcAnd	Actes d'André
AcJn	Actes de Jean
AcPi	Actes de Pierre
AcPil	Actes de Pilate
AcPl	Actes de Paul
AcTh	Actes de Thomas
EvEb	Évangile des Ébitionites

EvEg	Évangile des Égyptiens
EvHeb	Évangile des Hébreux
EvPi	Évangile de Pierre
ProtEv	Protévangile de Jacques

Versions de la Bible

Aq	Aquila
Bo	Bohaïrique (copte)
It	Itala (= Vetus Latina)
LXX	Septante
PentSam	Pentateuque Samaritain
Pesh	Peshitta (syriaque)
Sah	Sahidique (copte)
Sy	Symmaque
Théod	Théodotion
TM	Texte massorétique
Vg	Vulgate
VL	Vetus Latina

Targums

Trg (ou T)	Targum
Fragm (ou F)	Targum fragmentaire
N	Codex Néofiti I
Onq (ou O)	Targum Onqelos
PsJo (ou Jo)	Targum du Pseudo-Jonathan (Pentateuque)
TP	Targum Palestinien

Littérature rabbinique

Mekh	Mekhilta (Midrash sur l'Exode)
Mid ha Gad	Midrash ha-Gadol
Mid Teh	Midrash Tehilim

Mid Ps	Midrash sur les Psaumes
Mid Tanna	Midrash Tannaïm
Pes	Pesiqta
R	Rabba (indique un commentaire du Midrash Rabba : Gen R = Midrash sur la Genèse, etc.)
Sifra	Midrash sur le Lévitique
Sifré Num	Midrash sur les Nombres
Sifré Deut	Midrash sur le Deutéronome
Tanh	Midrash Tanhuma
Tb ou Babl	Talmud de Babylone
Tj ou Jer	Talmud de Jérusalem
Tos	Tosefta

On trouvera dans l'article de C. Touati « Rabbinique (Littérature) », *D.B.S.,* IX, 1019-1045 une bonne présentation de la littérature rabbinique, ainsi qu'une bibliographie très complète indiquant les introductions, éditions et traductions dans les diverses langues.

Traités de la Mishna (et des Talmuds)

Abréviation	Transcription francisée	Transcription
Abot (ou P.A.)	Abôt (Pirkê Abôt)	'abôt
Arak	Arakin	ʿarakîn
A.Z.	Aboda zara	ʿabodah zarah
Bek.	Bekorôt	bᵉkôrôt
Ber.	Berakôt	bᵉrakôt
Bes.	Bêsa	bêṣah
B.B.	Baba batra	baba' batra'
Bik.	Bikkurim	bikkûrîm
B.M.	Baba mesia	baba' meṣi'a'
B.Q.	Baba qamma	baba' qamma'
Dem.	Demay	dᵉmay
Eduy.	Eduyyôt	ʿeduyyôt
Erub.	Erubîn	ʿerûbîn
Git.	Gittîn	giṭṭîn
Hag.	Hagiga	ḥagîgah
Hall.	Hallah	ḥallah
Hor.	Horayôt	hôrayôt
Hull.	Hullîn	ḥullîn
Kel.	Kelim	kelîm
Ker.	Keritôt	kᵉritôt
Ket.	Ketubôt	kᵉtubôt
Kil.	Kilayim	kilʿayim
Maas.	Maasrôt	maʿaśrôt
Makk.	Makkôt	makkôt
Makš.	Makshirîn	makšîrîn
Meg.	Megilla	mᵉgillah
Mei.	Méila	meᵉilah
Men.	Menahôt	mᵉnahôt
Mid.	Middôt	middôt
Miq.	Miqwaôt	miqwa'ôt
M.Q.	Moéd qatân	môᵉed qatan

115

M.S.	Maaser sheni	maʿaśer šenî
Naz.	Nazir	nazîr
Ned.	Nedarim	nᵉdarîm
Neg.	Negaïm	nᵉgaʾîm
Nid.	Nidda	niddah
Oho.	Oholôt	ʿoholôt
Orl.	Orla	ʿorlah
Par.	Para	parah
Pea	Pea	pᵉʿah
Pes.	Pesahim	pᵉsahîm
Qid.	Qiddushîn	qiddûšîn
Qin.	Qinnim	qinnim
R.H.	Rosh hashana	roʾš hašanah
Šab.	Shabbat	šabbat
San.	Sanhédrin	sanhedrîn
Šebi.	Shebiit	šᵉbiʿit
Šebu.	Shebuôt	šᵉbuʿôt
Šeq.	Sheqalim	šᵉqalîm
Sot.	Sota	soṭah
Sukk.	Sukka	sukkah
Taa.	Taanit	taʿanît
Tam.	Tamid	tamîd
Teb.	Tebul yom	tᵉbûl yom
Tem.	Temura	tᵉmurah
Ter.	Terumôt	tᵉrumôt
Toḥ.	Toharôt	toḥarôt
Uqṣ.	Uqsin	ʿuqṣin
Yad.	Yadayim	yadayim
Yeb.	Yebamôt	yᵉbamôt
Yom.	Yoma	yomaʾ
Zab.	Zabim	zabîm
Zeb.	Zebahim	zᵉbaḥîm

Exemples :

San.l, 4 Mishna, traité Sanhédrin, ch. 1, par. 4;

bSan. 31a Talmud de Babylone, traité Sanhédrin, folio 31, colonne 1;

jSan. 2, 21b Talmud de Jérusalem, traité Sanhédrin, ch. 2, folio 21, colonne 2;

Tos. San. 1, 4 Tosefta, traité Sanhédrin, ch. 1, par. 4.

Manuscrits de la mer Morte

Le premier chiffre indique la grotte où ont été découverts les manuscrits.

lQapGn	Apocryphe de la Genèse
lQH	Hymnes d'action de grâces
lQpHab	Pésher d'Habaqud
lQIs ^{a}	1er rouleau d'Isaïe
lQIs ^{b}	2e rouleau d'Isaïe
lQM	Manuscrit de la Guerre
lQS	Règle de la communauté ou Manuel de Discipline
lQS ^{a}	Règle de la Congrégation (appendice A à lQS)
lQS ^{b}	Bénédictions (appendice B à lQS)
3Q15	Rouleau de cuivre, provenant de la 3e grotte
4QFlor	Florilèges
4QOrNab	Prière de Nabonide
4QTest	*Testimonia*
4QLévi	Testament de Lévi
11QMelq	Texte de Melchisédeq
11QtgJob	Targum de Job
CD	Document de Damas (texte de la Gueniza du Caire)

Œuvres de Philon d'Alexandrie

De Abr.	De Abrahamo
De Cher.	De cherubim et flammeo gladio
De Dec.	De decalogo
De Fug et Inv.	De fuga et inventione
De Gig.	De gigantibus
De Ioseph.	De Iosepho
De Leg.	De legatione ad Gaium
De Migr.	De migratione Abrahami
De Mort.	De mortalitate
De Opif.	De opificio mundi
De Plant.	De plantatione Noe
De Post.	De posteritate Caini
De Praem.	De praemiis et poenis
De Sacr. Abelis	De sacrificiis Abelis et Caini
De Sobr.	De sobrietate
De Somn.	De somniis
De Spec. Leg.	De specialibus legibus
De Vita Cont.	De vita contemplativa sive supplicum virtutibus
De Vita Mos.	De vita Mosis
Leg. All.	Legum allegoriae
Quod Det.	Quod deterius potiori insidiari solet
Rer. Div.	Quis rerum divinarum heres sit

Œuvres de Josèphe

Ant.	Antiquitates (A. J. = Antiquités Juives)
Apion.	Contra Apionem
Bell.	De Bello Iudaïco (G. J. = Guerre Juive)

Pères apostoliques

Barn	Épître de Barnabé
1 Clem	Épître de Clément de Rome aux Corinthiens
2 Clem	Homélie du IIe siècle (2e épître de Clément)
Did	Didachè
Diog	Épître à Diognète
Herm	Pasteur d'Hermas
Herm(m)	Hermas, *mandata*
Herm(s)	Hermas, *similitudines*
Herm(v)	Hermas, *visiones*
Pap	Fragments de Papias d'Hiérapolis
Polyc	Épître de Polycarpe de Smyrne

INSTRUMENTS DE TRAVAIL

Sources bibliographiques

FITZMYER Joseph A., *An Introductory Bibliography for the Study of Scripture*, Revised Edition (*Subsidia Biblica*, 3), Biblical Institute Press, Rome, 1981.

MARROW Stanley B., *Basic Tools of Biblical Exegesis : A Student's Manual*, 2e éd. (*Subsidia Biblica*, 2), Biblical Institute Press, Rome, 1978.

Elenchus Bibliographicus Biblicus, Institut biblique, Rome, 1920 et ss. (D'abord inséré dans *Biblica*, forme depuis 1968 un volume séparé.)

Internationale Zeitschriftenschau für Bibelwissenschaft und Grendgebiete, Stuttgart (IZBG), 1951-1952 et ss.

New Testament Abstracts, Weston College School of Theology, Cambridge, Massachusetts (NTAB), 1956 et ss.

LANGEVIN Paul-E., *Bibliographie biblique*, t. I, « 1930-1970 », Québec, Presses de l'université Laval, 1972; t. II, « 1930-1975 », *ibid.*, 1978.

Service biblique Évangile et Vie, *Bibliographie biblique*, éd. du Centurion, Paris, 1981. (Coll. « Dossiers pour l'animation biblique », D.A.B.)

Textes et versions de la Bible

ANCIEN TESTAMENT HÉBREU

KITTEL Rudolf, éd., *Biblia Hebraica*, 13e éd. par A. Alt et O. Eissfeldt, Stuttgart, 1962 (BH ou BHK).

Elliger K. et Rudolph W., éd., *Biblia Hebraica Stuttgartiensa*, Stuttgart, 1968 et ss; en 1 vol. 1977 (BHS).

LES SEPTANTE

Rahlfs Alfred, éd., *Septuaginta*, 8ᵉ éd., Stuttgart, 1965.
Septuaginta : Vetus Testamentum Graecum auctoritate Societatis Litterarum Göttingensis editum, Göttingen, 1931, réimprimé depuis.

NOUVEAU TESTAMENT

Aland K., Black M., Martini C.-M., Metzger B.-M., Wikgren A., *The Greek New Testament*, 3ᵉ éd., Biblical Societies, Londres, 1977.

Merk A., *Novum Testamentum Graece et Latine*, 9ᵉ éd., Institut biblique, Rome, 1964.

Nestle E., Aland K., *Novum Testamentum Graece*, Stuttgart, 1979 (26ᵉ éd., ayant bénéficié de la collaboration des éditeurs du *Greek New Testament*).

Tischendorf C., *Novum Testamentum Graece*, 8ᵉ éd., Leipzig, t. I, 1869; t. II, 1872.

Westcott B.-F., Hort F.-J.-A., *The New Testament in the original greek*, 2 vol., Londres-Cambridge, 1890-1896.

Von Soden H.-F., *Die Schriften des Neuen Testaments in ihrer ältesten erreichbaren Textgestalt hergestellt auf Grund ihrer Textgeschichte*, Göttingen, 1911-1913.

VERSIONS LATINES

Biblia sacra iuxta vulgatam versionem, Weber R., Fischer B., Gribomont J., Sparks H.-F.-D., Thiele W., éd., 2 vol., Stuttgart, 1969, 2ᵉ éd., 1975.

121

Abbatia Pontificia S. Hieronymi in Urbe, *Biblia Sacra iuxta latinam versionem ad codicum fidem,* éd. polyglotte du Vatican, Rome, 1926 et ss.

Biblia Latina Nova Vulgata, éd. polyglotte du Vatican, Rome, 1970-1971.

TRADUCTIONS FRANÇAISES

Il ne peut être question de faire le catalogue de toutes les éditions des traductions françaises de la Bible; il suffit de noter celles qu'il faut consulter pour une étude sérieuse du texte biblique :

Traduction œcuménique de la Bible, Ancien Testament, Paris, coéd. Le Cerf, les Bergers et les Mages, 1975 (éd. intégrale).

Traduction œcuménique de la Bible, Nouveau Testament, Paris, coéd. Le Cerf, les Bergers et les Mages, 1972 (éd. intégrale).

La Bible de Jérusalem, La Sainte Bible traduite en français sous la direction de l'École biblique de Jérusalem, nouvelle édition, éd. du Cerf, Paris, 1973.

OSTY E., TRINQUET J., *La Bible,* éd. du Seuil, Paris, 1971.

DHORME E. et coll., *La Bible. L'Ancien Testament* (Bibliothèque de la Pléiade), éd. Gallimard, Paris, t. I, 1956; t. II, 1959.

CROSJEAN J. et coll., *La Bible. Le Nouveau Testament* (Bibliothèque de la Pléiade), éd. Gallimard, Paris, 1971.

La Bible de CHOURAQUI A., éditée aux éditions Desclée de Brouwer, n'est pas à proprement parler une traduction, mais plutôt un décalque très serré des textes originaux. Elle n'a un intérêt que pour ceux qui sont initiés aux langues bibliques.

Mentionnons également les traductions de CRAMPON-BONSIRVEN, des moines de Maredsous (Belgique) et les bibles protestantes de SEGOND (dont la nouvelle version Segond révisée en 1978 : « Bible à la Colombe »), DARBY, *la Bible du centenaire*, etc.

BIBLES POLYGLOTTES

Polyglotte Complutense, 6 vol., Alcala, 1514-1517. Pour l'A. T., contient le texte massorétique, les LXX et la Vulgate, ainsi que le Targum Onqélos pour le Pentateuque; pour le N. T., contient les textes grec et latin.

Polyglotte d'Anvers, 8 vol., 1569-1572, appelée « Bible royale ». Le texte du Targum y est plus complet que dans la Polyglotte *Complutense*.

Polyglotte de Paris, 10 vol., 1624-1645. Contient, en plus du matériel des éditions antérieures, le Pentateuque samaritain, la Peshitta, et une traduction arabe.

Polyglotte de Londres, 6 vol. édités par B. WALTON (1654-1657). Présente, corrigés, les textes de la Polyglotte de Paris, auxquels sont ajoutés des fragments de la *Vetus Latina*, le Targum du Pseudo-Jonathan, le Targum fragmentaire du Pentateuque et des traductions perse et éthiopienne de différentes parties de l'A. T.

SYNOPSES DES ÉVANGILES

ALAND K., *Synopsis Quattuor Evangeliorum*, 11e éd. revue, Stuttgart, 1978.

HUCK A., GREEVEN H., *Synopse der drei ersten Evangelien/ Synopsis of the First Three Gospels*, 13e éd. (de la Synopse HUCK-LIETZMANN), Tübingen, 1981.

En dehors de ces deux principales Synopses grecques, on dispose en français de :

BENOIT P., BOISMARD M.-E., *Synopse des quatre Évangiles en français avec parallèles des apocryphes et des Pères*, Paris, éd. du Cerf, t. I, 1966, 2e éd. revue, 1971; t. II,

Commentaire, 1972; t. III, *L'Évangile de Jean* (BOIS-MARD M.-E., LAMOUILLE A.), 1977.

Dictionnaires et Lexiques

LEXIQUES

Hébreu + araméen

BROWN F., DRIVER S.-R., BRIGGS Ch.-A., *Hebrew and English Lexicon of the Old Testament,* et, en appendice, *Biblical Aramaic,* Oxford, 1907. Dernière réimpression en 1966.

BAUMGARTNER W., *Hebräisches und Aramäisches Lexikon zum Alten Testament,* Leiden, 1967 et 1974.

ZORELL F., *Lexicon hebraicum et aramaicum Veteris Testamenti,* Rome, 1940 ss.

VOGT E., *Lexicon linguae aramaicae Veteris Testamenti documentis antiquis illustratum,* Rome, 1971.

Grec

ARNDT W.-F., GINGRICH F.-W., *A Greek-English Lexicon of the New Testament and Other Early Christian Literature,* Chicago, 1957.

BAUER W., *Griechisch-deutsches Wörterbuch zu den Schriften des Neuen Testaments und der übrigen urchristlichen Literatur,* Berlin, 1958.

CARREZ M., MOREL F., *Dictionnaire grec-français du Nouveau Testament,* coéd. Le Cerf-Delachaux & Niestlé, Paris-Neuchâtel, 1971.

ZORELL F., *Lexicon Novi Testamenti,* 3e éd., Paris, 1961.

DICTIONNAIRES

BAUER J.-B., *Bibeltheologisches Wörterbuch,* 2 vol., 3e éd., Graz, 1967. Tr. esp. Barcelone, 1967.

BOTTERWECK G.-J., RINGGREN H., éd., *Theologisches Wörterbuch zum Alten Testament,* Stuttgart, 1937 et ss. Tr. esp., Madrid, 1978.

JENNI E., WESTERMANN C., *Theologisches Handwörterbuch zum Alten Testament,* 2 t., Munich, 1971-1974. Tr. esp., Madrid, 1978. Tr. it., Brescia, 1978 (t. I seulement).

HAAG H. et coll., *Dictionnaire encyclopédique de la Bible,* Turnhout, 1961.

The Interpreter's Dictionary of the Bible, 4 vol., New York-Nashville, 1962; *Supplement,* 1976.

DIEZ-MACHO A., BARTINA GASSIET S., éd., *Enciclopedia de la Biblia,* 6 vol., Barcelone, 1963 et ss.

LÉON-DUFOUR X., éd., *Vocabulaire de théologie biblique,* Paris, 2ᵉ éd., éd. du Cerf, 1970.

LÉON-DUFOUR X., *Dictionnaire du Nouveau Testament,* éd. du Seuil, Paris, 1975, réédition revue, coll. « Livre de Vie », 1978.

ODELAIN O., SEGUINEAU R.; *Dictionnaire des noms propres de la Bible,* coéd. Le Cerf-Desclée de Brouwer, Paris, 1978.

PIROT L., CAZELLES H., COTHENET E., FEUILLET A., et coll., *Dictionnaire de la Bible, Supplément,* éd. Letouzey et Ané, Paris, 1928 et ss. (9 tomes parus en 1980 : A-R).

ROUET A., *Des hommes et des choses du Nouveau Testament,* éd. Desclée de Brouwer, Paris, 1979. (Malgré certaines approximations, ce petit dictionnaire du N. T. est remarquable par sa présentation pédagogique, ses schémas, ses cartes, etc.)

Theologisches Wörterbuch zum Neuen Testament, commencé par KITTEL et continué par G. FRIEDRICH, 9 vol. + 2 vol. d'index, Stuttgart, 1933-1978. Tr. ang. et it.; seuls quelques articles sont traduits en français, aux éditions Labor et Fides, Genève.

Concordances

DE L'A. T. HÉBREU

EVEN-SHOSHAN A., *A New Concordance of the Bible*, 3 vol., Jérusalem, 1977-1980.

LISOWSKY G., *Konkordanz zum Hebräischen Alten Testament*, Stuttgart, 1966.

MANDELKERN S., *Veteris Testamenti Concordanciae Hebraïce atque Caldaicae*, 11ᵉ éd. revue, Tel Aviv, 1978.

WIGRAM G. V., *Englishman's hebrew and chaldee concordance of the Old Testament*, Londres, dernière réimpression, 1972 (textes cités en anglais sous le mot hébreu ou araméen; rendra service aux débutants dans ces langues).

DES SEPTANTE

HATCH E., REDPATH H.-A., *A Concordance to the Septuagint and the other Greek Versions of the Old Testament* (apocryphes [= deutérocanoniques] y compris), Graz, 1954, 2 vol. (réimp. depuis).

JACQUES X., *Index des mots apparentés dans la Septante*, Rome, 1972.

MORRISH G., *A concordance of the Septuagint*, Londres, réimp.

DU NOUVEAU TESTAMENT

MOULTON W.-R., GEDEN A.-S., *A Concordance to the Greek Testament according to the Texts of Westcott and Hort, Tischendorf and the English Revisers*, 5ᵉ éd., Édimbourg, 1979.

SCHMOLLER A., *Handkonkordanz zun griechischen Neuen*

Testament, Stuttgart, 9ᵉ éd., 1951, dernière réimpression, 1973.

Bardy M., Odelain O., Sandevoir P. sous la direction de Sᴿ Jeanne d'arc, o. p., *Concordance de la Bible, Nouveau Testament,* Le Cerf-D.D.B., Paris, 1970.

Jacques X., *Index des mots apparentés dans le Nouveau Testament,* Rome, 1969.

CONCORDANCES DE TOUTE LA BIBLE

Concordance de la Bible de Jérusalem, Paris-Maredsous, 1982.

Passelecq G., Poswick F., *Table pastorale de la Bible. Index analytique et analogique,* éd. Lethielleux, Paris, 1974. (Une concordance « thématique » plutôt que verbale; peut rendre service.)

Enfin, on dispose également pour le Psautier d'une concordance française :

Odelain O., Seguineau R., *Concordance des Psaumes,* préface de P. Beauchamp, D.D.B., Paris, 1980.

Grammaires des langues bibliques

HÉBREU

Mayer-Lambert, *Traité de la grammaire hébraïque,* t. I, « Sémasiologie, phonétique, morphologie », Paris, 1931; t. II, « le Verbe », Paris, 1932.

Jouon P., *Grammaire de l'hébreu biblique,* Rome, 1923, réédition corrigée, 1965.

Parmi les grammaires ou méthodes d'introduction :

Auvray P., *Initiation à l'hébreu biblique. Précis de grammaire. Textes expliqués, vocabulaire,* 2ᵉ éd., Desclée, Paris-Tournai, 1965.

AUVRAY P., *l'Hébreu biblique*, D.D.B., Paris, 1961.

LETTINGA J.-P., *Grammaire de l'hébreu biblique*, 2 vol., Brill, Leiden, 1980.

TOUZARD J., ROBERT A., *Grammaire hébraïque abrégée*, Gabalda, Paris, 1949, réimprimé depuis.

ARAMÉEN

BAUER-LEANDER, *Grammatik des Biblisch-Aramäischen*, Halle, 1927, réimpression 1962.

PALACIOS L., *Grammatica Aramaico-Biblica*, 4e éd., Montserrat, 1970.

ROSENTHAL, *A Grammar of Biblical Aramaïc*, Wiesbaden, 1961.

GREC

ABEL F.-M., *Grammaire du grec biblique...*, Gabalda, Paris, 1927.

BLASS F., DEBRUNNER A., *Grammatik des neutestamentlichen Griechisch*, Göttingen, 13e éd., 1970 (traduite et adaptée par R. W. FUNK, *A Greek Grammar of the New Testament and other Early Christian Literature*, Chicago, 1961).

ZERWICK M., *Graecitas Biblica Novi Testamenti exemplis illustratur*, 5e éd. revue et augmentée, Rome 1966 (traduction anglaise de la 4e éd. par J. SMITH, *Biblical Greek illustrated by examples*, Rome 1963, réimp. en 1979).

Parmi les grammaires d'introduction :

CARREZ M., *Grammaire grecque du Nouveau Testament*, 3e éd. revue et corrigée, Delachaux & Niestlé, Paris-Neuchâtel, 1979.

Autres instruments de travail

ZERWICK M., *Analysis philologica Novi Testamenti graeci,* 5e éd. Rome, 1966; traduction anglaise par M. GROSVENOR, *A Grammatical Analysis of the Greek New Testament,* 2 vol., Rome, 1974-1979.

MORGENTHALER R., *Statistische Synopse,* Zurich-Stuttgart, 1971.

EDEL R.-F., *Hebräisch-Deutsche Präparation zu...,* Marburg, en cours de publication. Chaque fascicule est consacré à un livre de l'A. T.

Targums

LE DÉAUT R., ROBERT J., *Targum des Chroniques,* 2 t. (AnBib 51), Rome, 1971.

LE DÉAUT R., ROBERT J., *Targum du Pentateuque,* t. I, « Genèse », (SC 245), 1978; t. II, « Exode et Lévitique », (SC 256, 1979; t. III, « Nombres » (SC 261), 1979, t. IV; « Deutéronome », index. (SC 271), éd. du Cerf, Paris, 1980.

Apocryphes et pseudépigraphes

CHARLES R.-E., éd., *The Apocrypha and Pseudepigrapha of the Old Testament in English,* vol. I : « Apocrypha »; vol. II : « Pseudepigrapha », Oxford, 1913.

KAUTZSCH E., éd., *Die Apokryphen und Pseudepigraphen des Alten Testament,* vol. I : « Die Apokryphen »; vol II : « Die Pseudepigraphen », Tübingen, 1900.

DIEZ-MACHO A., DE LA FUENTE ADANEZ A., GIL L., éd., *Apocrifos del Antiguo Testamento,* 3 vol., Madrid, éd. Cristiandad, 1980.

Un recueil des textes intertestamentaires devrait paraître

en français dans la Bibliothèque de la Pléiade des éd. Gallimard de Paris, sous la responsabilité de M. PHILONENKO.

Notons également :

RALLETIER A., éd., *Lettre d'Aristée à Philocrate* (SC 89), Paris, 1962.

BOGAERT P., éd., *Apocalypse syriaque de Baruch* (SC 144-145), 2 vol., Paris, 1969.

HARRINGTON D. J., PERROT C., BOGAERT P., CAZEAUX J., *Pseudo-Philon : les Antiquités bibliques* (SC 229-230), 2 vol., Paris, 1976.

BONSIRVEN J., éd., *la Bible apocryphe. En marge de l'A. T.,* rééd. Fayard-Le Cerf, Paris, 1975.

GRELOT P., *l'Espérance juive à l'heure de Jésus* (« Jésus et Jésus-Christ », 6), éd. Desclée, Paris, 1978.

HENNECKE E., *Neutestamentliche Apokryphen,* 3e éd. revue par SCHEEMELCHER, 2 vol., Tübingen, 1959-1964.

SANTOS OTERO A. DE, *Los Evangelios Apócrifos* (B.A.C.), Madrid, 1956.

MORALDI L., *Apocrifi del Nuovo Testamento,* 2 vol., Turin, 1971.

AMIOT F., *Évangiles apocryphes,* rééd. Fayard-Le Cerf, Paris, 1975 (anthologie).

Matériel subsidiaire

PRITCHARD J.-B., éd., *Ancient Near Eastern Texts relating to the Old Testament,* 3e éd., Princeton, New Jersey, 1970 (ANET).

LABAT R., CAQUOT A., SZNYCER, VIEYRA M., *les Religions du Proche-Orient ancien. Textes et traditions sacrés babyloniens-ougaritiques-hittites,* éd. Fayard, Paris, 1970.

NOUGAYROL J., éd., *les Sagesses du Proche-Orient ancien,* P.U.F., Paris, 1963.

BRIEND J., SEUX M.-J., *Textes du Proche-Orient ancien et*

histoire d'Israël (Études annexes de la B.J.), éd. du Cerf, Paris, 1977.

Collection « Sources Orientales » (SO), Paris, éd. du Seuil, 1956 et ss.

Collection « Littératures anciennes du Proche-Orient » (LAPO), éd. du Cerf, Paris, 1967 et ss.

Collection « Supplément aux Cahiers Évangile » (CahEvSup), Paris, 1979 et ss.

CARMIGNAC J., GUILBERT P., COTHENET E., LIGNÉE H., *les Textes de Qumran traduits et annotés,* Letouzey et Ané, t. I, Paris, 1961; t. II, 1963.

DUPONT-SOMMER A., *les Écrits esséniens découverts près de la mer Morte,* 4ᵉ éd., éd. Payot, Paris, 1968.

CAQUOT A., *le Rouleau du Temple, ETR* 53 (1978/4).

BONSIRVEN J., *Textes rabbiniques des deux premiers siècles chrétiens pour servir à l'intelligence du N. T.,* Rome, 1954.

STRACK H.-L., BILLERBECK P., *Kommentar zun Neuen Testament aus Talmud und Midrasch,* 6 vol., Munich, 1922-1961, réimp. depuis.

ARNALDEZ R., POUILLOUX J., MONDESERT C., éd., *les Œuvres de Philon d'Alexandrie,* éd. du Cerf, Paris, 1961 et ss., 36 vol.

REINACH T., éd., *Œuvres complètes de Flavius Josèphe,* Paris, 1900-1929, 7 vol.

PELLETIER A., éd., *Flavius Josèphe : Autobiographie* (col. G. Budé), Paris, 1959.

SAVINEL P., éd., *Flavius Josèphe : la guerre des Juifs,* éd. de Minuit, Paris, 1976.

REINACH S., *Textes d'auteurs grecs et romains relatifs au judaïsme,* Paris, 1895, rééd. à Hildesheim, 1963.

Cadre historique de la Bible

HISTOIRE

BARON S.-W., *Histoire d'Israël, vie sociale et religieuse,* tr. fr., vol. 1 et 2., P.U.F., Paris, 1956-1957.

DESNOYERS L., *Histoire du peuple hébreu. Des juges à la captivité,* 3 vol., Paris, 1922-1930.

NOTH M., *Histoire d'Israël,* tr. fr. revue par l'auteur, Paris, 1970.

RICCIOTTI, *Histoire d'Israël,* tr. fr., 2ᵉ éd., Paris, 1946, 2 vol.

BRIGHT J., *A History of Israël,* éd. rev. (OTL), Londres, 1972, 3ᵉ éd., 1981.

FOHRER G., *Storia d'Israele,* tr. de l'allemand, Brescia, 1980.

HAYES J., MILLER J. M., éd., *Israelite and Judean History* (OTL), Londres, 1976.

HERRMANN S., *Geschichte Israels in alttestamentlicher Zeit,* Munich, 1973 (tr. angl. et it.).

LEMAIRE A., *Histoire du peuple hébreu* (« Que sais-je »? 1898), Paris, 1981.

VAUX R. DE, *Histoire ancienne d'Israël,* t. I « Des Origines à l'installation en Canaan », Paris, 1971; t. II « La Période des juges » (col. « Études bibliques »), Paris, 1973.

ABEL F.-M., *Histoire de la Palestine depuis la conquête d'Alexandre le Grand jusqu'à la conquête arabe,* 2 vol., col. « Études bibliques », Paris, 1952.

PAUL A., *le Monde des Juifs à l'heure de Jésus. Histoire politique,* Petite bibliothèque des sciences bibliques, Paris, 1981.

SIMON M., BENOIT A., *le Judaïsme et le christianisme antique,* (Nˡˡᵉ Clio), Paris, 1968.

GÉOGRAPHIE, ATLAS

ABEL F.-M., *Géographie de la Palestine,* 2 vol., Paris, 1938, rééd., 1967 (col. « Études bibliques »).

AHARONI Y., *The Land of the Bible. A Historical Geography,* Londres, 1967.

AHARONI Y., AVI-YONAH M., *The Macmillan Bible Atlas,* Londres, 1968.

DU BUIT M., *Géographie de la Terre Sainte,* 2 vol. (Études annexes de la B.J.), Paris, 1958.

GROLLENBERG L.-H., *Atlas de la Bible,* tr. fr., Elsevier, Paris, 1954.

GROLLENBERG L.-H., *Atlas biblique pour tous,* tr. fr., Séquoia, Paris, 1960.

LEMAIRE P., BALDI D., *Atlas biblique,* tr. fr., Louvain, 1960.

MAY H.-G., *The Oxford Bible Atlas,* Oxford, 1962.

ROWLEY H., *Atlas de la Bible,* tr. fr., éd. du Centurion, Paris, 1969.

ARCHÉOLOGIE

ALBRIGHT W.-F., *l'Archéologie de la Palestine,* tr. fr. (Études annexes de la B.J.), Paris, 1955.

AHARONI Y., *Dictionnaire archéologique de la Bible,* tr. fr., Paris, 1971.

BARROIS A., *Manuel d'archéologie biblique,* 2 vol., Paris, 1939-1953.

CORSWANT, *Dictionnaire d'archéologie biblique,* Delachaux et Niestlé.

MAZAR B., éd., *Encyclopedia of archeological excavations in the Holy Land,* 4 vol., Jérusalem, 1975-1977.

On consultera également les articles « Fouilles », « Poterie », etc., dans le *D.B.S.*, ainsi que ceux consacrés aux divers lieux et chantiers archéologiques.

BALDI D., *Enchiridion Locorum sanctorum*, 2ᵉ éd., Jérusalem, 1955.

Manuels

CAZELLES H., éd., *Introduction critique à l'Ancien Testament* (Introduction à la Bible de ROBERT-FEUILLET, édition nouvelle, t. II), éd. Desclée, Paris, 1973.

EISSFELDT O., *Einleitung in das Alte Testament*, 3ᵉ éd., Tübingen, 1964 (tr. angl. et it.).

FOHRER G., *Einleitung in das Alte Testament*, 11ᵉ éd. revue de SELLIN, *Einleitung...*, Heidelberg, 1969 (tr. angl.).

SOGGIN J.-A., *Introduzione all'Antico Testamento*, 3ᵉ éd., Brescia, 1979 (tr. angl. de la 2ᵉ éd.).

GEORGE A., GRELOT P., éd., *Introduction critique au Nouveau Testament* (Introduction à la Bible de ROBERT - FEUILLET, édition nouvelle, t. III), 5 vol., éd. Desclée, Paris, 1976-1978.

CONZELMANN H., LINDEMANN A., *Arbeitbuch zum Neuen Testament*, Tübingen, 1975.

KÜMMEL W. G., *Enleitung in das Neue Testament*, 17ᵉ éd. de FEINE-BEHME, *Enleitung...*, Heidelberg, 1973 (tr. angl.).

WIKENHAUSER A., SCHMID J., *Einleitung in das Neue Testament*, 6ᵉ éd., Fribourg en B., 1973 (tr. angl. et it.).

PRINCIPALES REVUES BIBLIQUES

N.B. : Les astérisques * indiquent le niveau de chacune des revues.

AASOR **

The Annual of the American School of Oriental Research in Jerusalem, Yale University Press, New-Haven, Connecticut, U.S.A., 1919 et ss.

Annuaire des fouilles archéologiques — avec de très bonnes planches et photographies —, que l'École américaine réalise au Proche-Orient.

ABR **

Australian Biblical Review, Queen's College, Université de Melbourne, Australie, 1951 et ss.

Revue annuelle, organe officiel de la Société pour les études bibliques en Australie. Des exégètes du monde entier y collaborent.

AusJBArch *

Australian Journal of Biblical Archaeology, Devonshire Press, Sidney NSW, Australie, 1968 et ss.

Revue annuelle, publiée par le Département des études sémitiques de l'université de Sidney, en vue d'encourager les études sur l'archéologie de la Palestine.

AnBib ***

Analecta Biblica, Pontificio Istituto Biblico, Via della Pilotta, 25, 00187 Roma, Italie, 1952 et ss. Collection de monographies consacrées aux études bibliques. Est publiée dans les principales langues modernes.

ATANT **

Abhandlungen zur Theologie des Alten und Neuen Testaments, 1942 et ss.

Collection de monographies sur des thèmes de théologie biblique tant vétéro- que néo-testamentaire. Deux volumes par an.

BASOR *

Bulletin of the American School of Oriental Research, P.O. 126 Inman Street, Cambridge, Massachusetts, 02139 U.S.A., 1919 et ss.

Trimestriel. Information sur les activités et recherches surtout archéologiques réalisées au Proche et au Moyen-Orient. Fournit des notices bibliographiques brèves et très spécialisées.

BetMik *

Beth Mikra, Israel Society for Biblical Research, P.O.B. 7024, Jérusalem, Israël, 1956 et ss.

Trimestriel. Publié en hébreu moderne, s'adressant aux juifs du monde entier. Bien qu'elle soit définie comme revue de recherche biblique, elle inclut des nouvelles diverses et des communications aptes à développer la culture et l'éducation des juifs de la diaspora.

BBB *

Bonner Biblische Beiträge, Katholisch-Theologische Fakultät der Universität, Bonn, Allemagne fédérale, 1950 et ss. Collection de monographies bibliques (Ancien et Nouveau Testaments).

BA *

The Biblical Archaeologist, 126 Inman Street, Cambridge, Massachusetts, U.S.A. 1938 et ss.

Trimestriel. Cherche à rendre compréhensible, avec le langage le moins technique possible, les informations sur les découvertes archéologiques en liaison avec la Bible.

BGBE *

Beiträge zur Geschichte der Biblischen Exegese.

BGBH *

Beiträge zur Geschichte der Biblischen Hermeneutik.

Bib ***

Biblica, Piazza della Pilotta, 25, 00187 Roma, Italie, 1920 et ss.

Trimestriel. Est publié dans les principales langues modernes. En plus d'articles de recherche, présente des communications et des notes sur des questions discutées, ainsi qu'une large recension des livres et revues. S'y ajoute l'*Elenchus Bibliographicus* (publié indépendamment depuis 1955) qui fournit la liste systématique de toutes les publications bibliques du monde, avec un index alphabétique.

BiBe **

Biblische Beiträge, Schweizerische Katholische Bibelbewegung, chemin de Bethléem, 76, CH-1700 Fribourg, Suisse, 1943 et ss.

De 1943 à 1959, collection d'articles monographiques brefs, à périodicité irrégulière. Depuis, avec la collaboration de plus en plus notable d'auteurs allemands, les monographies croissent en volume et en intérêt.

BibO *

Bibbia e Oriente, Piazza della Maddalena, 11, Gênes, Italie, 1959 et ss.

Revue bimestrielle de culture biblique. A d'abord commencé comme publication d'un groupe biblique de Milan, et a pris un caractère national depuis 1965. Fournit peu de recensions de livres.

BibTB **

Biblical Theology Bulletin, Piazza del Gesù, 45, 00186 Roma, Italie, 1970 et ss.

Trimestriel. Offre des articles faisant le point sur les principales questions bibliques débattues aujourd'hui, ainsi que des études exégétiques écrites en langage accessible aux non-spécialistes.

Biki *

Bibel und Kirche, Katholisches Bibelwerk Verlag, Silber-

burgstrasse, 121 A., Stuttgart 1., Allemagne fédérale, 1946 et ss.
D'abord publication annuelle, elle est devenue trimestrielle depuis 1958. Dans la dernière période, abondance de recensions et notes bibliographiques.

BiLi *

Bibel und Liturgie, Österreichische Katholisches Bibelwerk, Stiftsplatz, 8, Klosterneuburg, Autriche, 1926.
Trimestriel. A commencé par être une feuille mensuelle pour orienter l'apostolat populaire liturgique sous la direction de Pius Parsch. Est devenu bimensuel en 1957, et s'est transformé depuis 1970 en revue biblico-liturgique.

BiR *

Biblical Research, 800 West Belden Ave, Chicago, Illinois, 60614 U.S.A., 1957 et ss. Annuel. Brefs articles émanant des membres de la Chicago Society of Biblical Research sur la géographie, l'archéologie, les langues et l'histoire de la Bible. Alternance de questions théologiques et rabbiniques avec des thèmes du magistère ecclésiastique.

BiTrans **

The Bible Translator, 146 Queen Victoria Street, Londres, Ec 4V 4BX, 1950 et ss.
Trimestriel. Publié par l'Union des Sociétés bibliques; paraît selon une double série : les n°s 1 et 3 sous le titre de *Technical Papers* et les n°s 2 et 4 sous celui de *Practical Papers*. Fournit de bonnes recensions.

BibRE *

The Biblical Review, The Biblical Seminary, 235 E 49 Street, New York, U.S.A., 1916-1952.
Trimestriel. Cherchait à faciliter la vulgarisation des thèmes fondamentaux des recherches bibliques pour le clergé et les autres responsables chrétiens.

BL **

Book List, The Society for Old Testament Study (SOTS), Department of Theology, The University Durham., Angleterre, 1946 et ss.

Liste annuelle des livres publiés sur l'A. T., à l'usage privé des membres de la S.O.T.S., accompagnée d'une très brève recension avec toutes les données intéressantes sur le livre : maison d'édition, adresse et prix.

BN **

Biblische Notizen, Jesuitenstrasse, 2, D8600 Bamberg, Allemagne, 1976 et ss.

Sans périodicité pour le moment, ce bulletin est polycopié pour faciliter la publication immédiate des avancées de la recherche exégétique, avec ses discussions et ses résultats. Donne des recensions d'articles de revues.

BSt *

Biblische Studien, Herder, Freiburg im Breisgau, Allemagne fédérale, 1896-1930.

Collection de monographies sur diverses questions actuelles du monde biblique.

BTS *

Bible et Terre Sainte, Bayard-Presse, 5, rue Bayard, 75008 Paris, 1957-1977. 9 numéros par an.

Revue de géographie et d'archéologie des pays bibliques, abondamment illustrée. Chaque numéro, consacré à un lieu ou à un thème, présente les divers aspects historique, archéologique, exégétique, dans un langage accessible. Exégètes français et archéologues du Proche-Orient y collaborent.

Le *Monde de la Bible* a pris la suite de *BTS* en nov.-déc. 1977.

BZf *

Biblische Zeitfragen Aschendorffscher Verlag, Münster, Westphalie, 1908-1931.

Collection de questions bibliques, d'actualité brûlante, adressée aux laïcs cultivés.

BW *

The Bible in the World, The Bible House, 146, Queen Victoria Street, Londres, Angleterre, 1905 et ss.

Mensuel d'informations très larges sur les activités des sociétés bibliques anglaise et étrangères.

BWANT *

Beiträge zur Wissenschaft vom Alten und Neuen Testament, W. Kohlhammer Verlag, Stuttgart, Allemagne fédérale, 1908 et ss.

Collection de monographies en plusieurs séries :

1908-1919 : 25 volumes A. T.; 1re série;
1920-1926 : 11 volumes A. T.; 2e série;
1926-1930 : 3e série (thèmes néotestamentaires y compris);
1930-1959 : 4e série;
1959-1962 : 5e série.

Le total des volumes publiés dépasse la centaine.

BZ **

Biblische Zeitschrift, Verlag Ferdinand Schöning, Paderborn, Allemagne fédérale, 1903 et ss.

Semestriel. Articles concernant aussi bien l'Ancien que le Nouveau Testaments. Communications scientifiques et notes brèves sur les recherches récentes. Recensions de livres. Nouvelle série commencée en 1957.

BZAW *

Beihefte zur ZAW, Genthinerstrasse 13, Walter de Gruyter Co, Berlin 30, Allemagne fédérale, 1896 et ss.

Collection de monographies dans laquelle on rencontre les œuvres maîtresses de l'exégèse vétérotestamentaire. Le rythme de publication est de deux volumes par année.

BZNW *

Beihefte zur ZNW, même adresse que BZAW.

Collection de monographies du même style que la BZAW,

mais plus tardive et au rythme de publication plus lent :
un volume par an, 1923 et ss.

CahBiF&V *

Cahiers bibliques de Foi et Vie, 139, bd du Montparnasse,
75006 Paris, 1963 et ss.

Un numéro par an, consacré à un livre biblique ou à une
question de méthodologie. Fournit d'amples bibliographies.

CahEv *

Cahiers Évangile, 1re série, 1951-1972, Ligue catholique de
l'Évangile, 2, rue de la Planche, 75007 Paris.

Cahiers Évangile, nouvelle série, 1972 et ss. Service
biblique Évangile et Vie, 6, avenue Vavin, 75006 Paris,
France.

Revue trimestrielle de bonne vulgarisation sur des livres ou
des thèmes, tant de l'Ancien que du Nouveau Testaments. Le
Service biblique Évangile et Vie a commencé en 1979 une
série de « Suppléments aux Cahiers » (CahEvSup). La nouvelle série est entièrement traduite en espagnol (Verbo
Divino éd.,), presque toute en italien, et un bon nombre de
numéros en anglais, japonais, etc.

Le Service biblique Évangile et Vie publie parallèlement
un bulletin polycopié *Bulletin d'Information biblique,* en
liaison avec les équipes de recherche biblique de la fédération protestante de France, à l'intention des animateurs de
groupes bibliques.

CBQ ***

The Catholic Biblical Quarterly, Catholic Biblical Association of America, Cardinal Station, Washington, D.C.
20017 U.S.A., 1939 et ss.

Trimestriel. Publie toutes sortes d'articles provoquant et
exposant la recherche et la haute vulgarisation biblique.
Bien que confessionnel, ne laisse rien de côté, et répond
avec profondeur aux questions discutées dans le champ des
études bibliques. Fournit d'amples recensions.

Monograph Series (CBA of America...)
Collection publiant quelques-unes des études exégétiques qui, par leur haut niveau de recherche, ne trouveraient pas facilement une autre possibilité d'édition.

CuBi *

Cultura Biblica, Plaza del Seminario, 9, Segovia, Espagne, 1944 et ss.
Mensuel à ses débuts. Cherche à combler les lacunes de la culture biblique du monde des laïcs. Se limite à la vulgarisation et présente par de brèves recensions les livres les plus récents. S'est transformée en 1954 en revue bimestrielle hispano-américaine.

EstBi **

Estudios Biblicos, Consejo Superior de Investigaciones Cientificas, Medinaceli, 4, Madrid, Espagne, 1926 et ss.
Trimestriel. A commencé comme organe officiel de l'Afebe, se substituant au Bulletin de l'association. Interrompu en 1936, lors de la guerre civile espagnole, a commencé une nouvelle étape en 1941, présentant des articles de recherche. Fournit des recensions, et les Chroniques des Semaines bibliques espagnoles.
Revista Española de Estudios Biblicos, Appartado 127, Malaga, 1926-1929.
Publication mensuelle au départ, présentant des textes oubliés ou inconnus des anciens biblistes espagnols, et offrant aussi parfois des travaux récents. Très brèves recensions et notices du monde biblique, et surtout index et catalogues des œuvres bibliques publiées en Espagne.

Exp *

The Expositor, 43, Oakfield Avenue, Glasgow, Écosse.
Annuel. A commencé par publier un volume mensuel d'essais et de commentaires sur les livres saints, pour le public cultivé. Plus tard s'y sont ajoutées de brèves recen-

sions de livres. La publication comprend diverses séries, selon la correspondance suivante de dates et volumes :
1re série : 1874-1878 : 12 volumes et index;
2e série : 1879-1882 : 8 volumes et index;
3e série : 1883-1889 : 10 volumes et index;
4e série : 1890-1894 : 10 volumes et index;
5e série : 1895-1899 : 10 volumes;
6e série : 1900-1905 : 12 volumes;
7e série : 1906-1910 : 10 volumes;
8e série : 1911-1923 : 26 volumes;
9e série : 1924-1925 : 4 volumes.

ET *

The Expository Time, T.T. Clark 38, George Street, Édimbourg, Angleterre.

Mensuel. Comprend articles et nouvelles du monde biblique destinés à approfondir l'intelligence du texte sacré. Dans les dernières années, conserve le même schéma d'édition qu'à la fin du siècle dernier, et publie de bons index annuels.

FRLANT **

Forschungen zur Religion und Literatur des Alten und Neuen Testament. Vandenhoeck und Ruprecht, Göttingen, Allemagne fédérale, 1903 et ss.

Collection de monographies sur les recherches bibliques, avec une attention spéciale aux thèmes de la littérature et religion comparées.

FrRu *

Freiburger Rundbrief, Werthmannhaus, Posfach 420 D 78, Freiburg im Breisgau. Allemagne fédérale, 1956-1972.

Parurent avec une certaine régularité quatre numéros par an, formant un seul tome. Recensions et articles écrits en vue de promouvoir l'amitié entre l'ancien et le nouveau peuple de Dieu, à la lumière de l'Ancien et du Nouveau Testaments.

HUCA *

Hebrew Union College Annual, Hebrew Union College, Cincinnati, Detroit, U.S.A., 1904 et ss.

Annuel. Thèmes très variés sur le monde juif. Ne manque pas de bons articles sur des thèmes bibliques. N'offre pas de recensions.

HT **

Helps for Translators, Unites Bible Societies, E. J. Brill, Leiden, 1960 et ss.

Annuel. Collection de monographies, d'études, d'analyses scientifiques, et de propositions sur l'aventure de la traduction des textes bibliques.

IEJ **

Israel Exploration Journal, P.O.B. 7041 Jérusalem, Israël, 1950 et ss.

Trimestriel. Chroniques d'archéologie et d'études sur les découvertes réalisées lors des fouilles en Palestine. Très bonnes photographies et planches. Notes d'information et recensions.

IZBG ***

Internationale Zeitschriftenschau für Bibelwissenschaft und Grenzgebiete, Patmos Verlag, Düsseldorf, Allemagne fédérale, 1951 et ss.

Annuel. Donne la liste complète des articles publiés sur la Bible ou des thèmes proches. Offre également un bref résumé de chaque article et un index complet des auteurs. Dans les derniers volumes, on indique aussi, à la fin, les principales publications de l'année.

Interpr **

Interpretation, 3401 Brook Road, Richmond 22, Virginie, U.S.A., 1947 et ss.

Trimestriel. Publie cinq ou six études exégétiques d'actualité, quatre ou cinq grandes recensions sur les livres les plus significatifs; d'autres recensions plus brèves sur les autres livres, ce qui fait que sont pratiquement passées en revue toutes les publications du trimestre. Se termine par la liste des livres reçus.

JANES **

Journal of the Ancient Near East Society, Columbia University, Bronx NY 10458, U.S.A., 1968 et ss.

Semestriel. Publication — d'abord en offset — adressée aux étudiants du Proche-Orient ancien pour compléter les sujets exposés dans les enseignements réguliers de la Columbia University. Fournit un index bibliographique des articles scientifiques publiés sur les sujets en liaison avec le Proche-Orient ancien.

JBL ***

Journal of Biblical Literature, Fordham University, Bronx NY 10458, U.S.A., 1881 et ss.

Trimestriel. Articles de recherche. Large recension des livres et autres essais bibliques. Offre une liste abondante des livres reçus, et, une fois par an, un index général des articles et des auteurs.

JBL a commencé en 1946 une collection de monographies bibliques, et en 1972, une autre collection spéciale pour les thèses de doctorat sur des sujets bibliques.

JJS **

The Journal of Jewish Studies, 97, Shirehall Park, Hendon, Londres NW4, Angleterre, 1948 et ss.

La Society for Jewish Study publie ce recueil des travaux de ses membres, promouvant et encourageant les études universitaires et de recherche sur le judaïsme. Fournit une abondante bibliographie et des recensions importantes.

JNES **

Journal of Near Eastern Studies, The University of Chicago Press, 11030 Langley Avenue, Chicago, Illinois 60628 U.S.A., 1942 et ss.

Trimestriel. Articles de recherche sur les langues et les

civilisations du Proche-Orient. Recensions abondantes, et liste de livres, photographies, planches et fac-similés. Continue depuis 1942, selon une nouvelle numérotation, ce qui fut l'*American Journal of Semitic Languages and Literatures* (1895-1942) qui avait lui-même pris le relais de *Hebraica* (1884-1895).

Publications nées dans le but de faciliter la connaissance des questions orientales en lien avec la Bible.

JQR *

The Jewish Quarterly Review, The Dropsis University, Broad and York Streets, Philadelphie, Pa. 19132, U.S.A., 1888 et ss.

Trimestriel. A surgi comme moyen d'expression des problèmes débattus autour du judaïsme, se fixant spécialement comme but les études d'histoire, de littérature et de théologie juives. A commencé en 1910 une nouvelle série qui a donné un caractère plus international aux études sur le judaïsme. Recensions et notes critiques.

JSOT *

Journal for the Study of the Old Testament, Department of Biblical Studies, The University of Sheffield, Sheffield S10 2TW, Angleterre, 1976 et ss.

Trois numéros par an, tirés en offset. Ouvre ses pages aux discussions entre professeurs. Y collaborent des professeurs de divers champs d'étude. Caractère international.

JSS *

Journal of Semitic Studies, Manchester University Press, 326-324, Oxford Road, Manchester 13, Angleterre, 1956 et ss.

Trimestriel. De caractère international. Sujets de linguistique, littérature, histoire, archéologie et culture de l'ancien Israël. Exclut positivement toute référence à l'État d'Israël actuel. Recensions de livres et revues.

Jud *

Judaïca, Rötelstrasse 96, 8057 Zürich, 1945 et ss.

Collection de monographies étudiant le monde juif d'hier et d'aujourd'hui. Dans ces dernières années, est publié chaque trimestre, et fournit des recensions de livres.

KiSe *

Kirjat Sepher, The Magnes Press, The Hebrew University, P.O.B. 503, Jérusalem, Israël, 1924 et ss.

Trimestriel. Revue bibliographique de l'université hébraïque de Jérusalem. Offre, en hébreu moderne, une ample information sur les publications hébraïques et juives, ainsi que sur les diverses revues et autres publications d'Israël. Jointes aux études et recensions, quelques indications de bibliographie juive.

Lesh **

Leshonenu, The Academy of the Hebrew Language, P.O.B. 3449, Jérusalem, Israël, 1928 et ss.

Trimestriel. Publie en hébreu des études sur la langue hébraïque et les sujets affiliés. Dans les derniers numéros, offre un bref résumé en anglais de chaque article.

LingBibl *

Linguistica Biblica, 53, Bonn-Röttgen 1, Kirchweg 15, Allemagne fédérale, 1970 et ss.

Trois numéros par an. Revue interdisciplinaire de théologie et de linguistique. Paraît en tirage offset. Annonce la parution des livres spécialisés de linguistique. Quelques-uns des numéros présentent une ample bibliographie spécialisée.

MdB *

Le Monde de la Bible, Bayard-Presse, 5, rue Bayard 75008 Paris, 1977 et ss.

5 numéros par an.

A pris la suite de *Bible et Terre Sainte* (mêmes caractéristiques; présentation améliorée).

NT ***

Novum Testamentum, E. J. Brill, Leiden, Pays-Bas, 1956 et ss.

Revue trimestrielle internationale. Publie dans les diverses langues tout type de travail de recherche sur le Nouveau Testament et les sciences apparentées. Offre peu de recensions.

Supplements to Novum Testamentum est la collection de monographies commencée en 1958, avec le but de publier les articles de recherche pure sur le Nouveau Testament qui, de par leur extension, n'auraient pu trouver place dans la revue *NT.* Le rythme de publication est assez rapide, et arrive actuellement au numéro 41.

NTAb ***

New Testament Abstracts, Weston College School of Theology, 3 Philips Place, Cambridge, Massachusetts, 02138 U.S.A., 1956 et ss.

Trois numéros par an. Résume tous les articles de revues sur les sujets néotestamentaires. Joint une brève recension des livres publiés et présente un index annuel des références bibliques, auteurs, livres, revues, ainsi que des recenseurs.

NTS ***

New Testament Studies, Studiorum Novi Testamenti Societas, Cambridge University Press, Bentley House, 200 Euston Road, Londres NWL, 1954 et ss.

Trimestriel. Publie les recherches récentes sur le Nouveau Testament, dans les diverses langues. Fournit peu de recensions. A commencé en 1965 une collection de monographies qui en est actuellement à son numéro 27.

OTS **

Oudtestamentische Studien, Society for Old Testament Study, Cambridge University Press, 200 Euston Road, Londres NWl, 1972 et ss.

Collection de monographies sur des sujets vétérotestamentaires. A pratiquement les mêmes critères que la collection de *NTS,* bien que, pour le moment, elle ait moins de force.

PEQ **

The Palestine Exploration Quarterly, Palestine Exploration Fund, 2 Hinde Mews, Marylebone Lane, WIM SRH Londres, 1873 et ss.

Trimestriel. Chroniques archéologiques et études sur les résultats partiels des fouilles en Palestine. Recensions et nouvelles.

POS *

Pretoria Oriental Studies, E. J. Brill, Leiden, Pays-Bas, 1954-1971.

Collection de monographies fournissant des apports intéressants et très variés sur des sujets de linguistique et de littérature bibliques. Y collaborent les professeurs des universités d'Afrique du Sud.

RB ***

Revue biblique, 90, rue Bonaparte, 75006 Paris, France, 1892 et ss.

Trimestriel. Articles de recherche. D'un intérêt fondamental surtout par ses chroniques archéologiques sur les découvertes récentes des fouilles de Palestine. Large recension de livres et de revues, ainsi qu'un bulletin d'information sur les derniers travaux bibliques. Se termine par une liste importante de livres envoyés à la rédaction (École biblique et archéologique française de Jérusalem).

En 1964 a commencé une collection de monographies intitulée *Les Cahiers de la Revue biblique,* accueillant les travaux de recherche dont l'ampleur dépasserait le cadre de la revue.

RBib *

Revista Biblica, Colegio Espiritu Santo, Avellaneda, 4455 Buenos Aires, Argentine, 1939 et ss.

Trimestriel. Se veut un apostolat biblique de haute vulgarisation. En ce sens, présente quelques articles, des recensions de livres, et des chroniques bibliques.

RBibIt *

Rivista Biblica Italiana, éd. Paideia, Brescia, Italie, 1953 et ss.

Trimestriel. Organe de l'Association biblique italienne. Recueille les articles de recherche et de vulgarisation écrits par les membres de l'association, des notes et communications scientifiques. Recensions.

Depuis 1964, une collection de monographies paraît en *Supplément* de la *RBibIt,* permettant la publication de travaux scientifiques dont l'ampleur dépasserait le cadre de la revue.

RCB *

Revista de Cultura Biblica, Rua Pio XI, 1024 São Paulo, Brésil, 1956 et ss.

Semestriel. Articles, chroniques et nouvelles du monde biblique. Recensions.

REJ *

Revue des études juives — Historia Judaïca, éd. Mouton et Cie, 7, rue Dupuytren, 75006 Paris, 1880 et ss.

Trimestriel. Publié conjointement par l'École pratique des hautes études et la Société des études juives. Le fascicule n° 3 de 1973 (juillet-septembre) offre une table des matières et un index des auteurs publiés dans la *REJ* de 1937 à 1966.

RES

Comme supplément à la *REJ,* paraît depuis 1934 la *Revue des études sémitiques,* dans le but de stimuler l'effort de synthèse dans les disciplines sémitiques : déterminer avec clarté le *status quaestionis,* donner les informations sur l'épigraphie, l'archéologie, la linguistique, ainsi que sur les cours et conférences concernant le monde sémite.

RQumran ***

Revue de Qumran, éd. Letouzey et Ané, 87, Bd Raspail, 75006 Paris (1958-1977). Depuis 1977 : éd. Gabalda, 90, rue Bonaparte, 75006 Paris, 1958 et ss.

Trimestriel. Cinq ou six articles de recherche sur la littérature de Qumran. Notes et communications de caractère scientifique, amples recensions. Dans le dernier numéro de chaque année, offre un index général des auteurs, références bibliques et qumraniques, de Philon, Josèphe, de la littérature rabbinique, ainsi qu'un index des matières. Est publié dans diverses langues.

SBT **

Studies in Biblical Theology, SCM Press Ltd., Bloomsbury Street, Londres, Angleterre, 1962 et ss.

Recueille les meilleures monographies bibliques anglaises et étrangères (traduites en anglais), pour la formation biblique des prêtres et des laïcs. Deux séries, ayant les mêmes caractéristiques :

1re série : 1962-1966;

2e série : 1966 et ss.

ScripB

Scripture Bulletin, St Mary's College, Strawberry Hill, Middlesex, Angleterre, 1946 et ss.

Bulletin d'information sur les événements bibliques et les nouvelles publications.

SCS **

Septuaginta and Cognate Studies, Society of Biblical Literature, University of Georgia, Athens, Géorgie, 30602 U.S.A., 1972 et ss.

Annuel. Quatre ou cinq articles de critique textuelle selon des sujets monographiques. Auparavant paraissait un bulletin annuel donnant une large information concernant les divers travaux de recherche sur le texte grec des LXX. La *SCS* a pris la suite de ce bulletin.

SEA*

Svensk Exegetisk Arsbok, Uppsala Exegetiska Sällskap, Box 511, 751 20 Uppsala, Suède.

Annuel. Bonnes recensions. Utile pour connaître la ligne de recherche des exégètes nordiques.

SEB **

Sémiotique et Bible, centre pour l'analyse du discours religieux (CADIR), Institut catholique de Lyon, 25, rue du Plat, 69288 Lyon Cedex 1, 1976 et ss.

Trimestriel. Simple bulletin ronéoté lors de sa fondation; est désormais depuis 1977 publié en offset. Publie une initiation méthodique à l'analyse sémiotique, ainsi que des analyses de textes. Informations sur la recherche en sémiotique appliquée aux textes bibliques et brèves recensions des publications consacrées à cette nouvelle approche du texte biblique. Donne également les informations sur les sessions, congrès et autres rencontres sur la sémiotique des textes bibliques.

Sef **

Sefarad, Consejo Superior de Investigaciones Cientificas, Medinaceli 4, Madrid, Espagne, 1941 et ss.

Revue semestrielle de l'Institut Arias Montano d'études hébraïques, séfardis, et du Proche-Orient. Ample bibliographie. Recensions.

Sem *

Semitica, 11 rue Saint-Sulpice, 75006 Paris, 1948 et ss. Cahiers publiés par l'Institut d'études sémitiques de l'université de Paris IV.

Semeia

Semeia, université de Nashville (U.S.A.).

Revue de sémiotique des textes bibliques.

SS **

Studi Semitici, Università di Roma, Centro di Studi Semitici, Rome, Italie, 1958 et ss.

Collection de monographies concernant les études récentes sur les découvertes archéologiques et littéraires du monde sémitique.

Tarb *

Tarbiz, The Magne Press, The Hebrew University, Jérusalem, Israël, 1929 et ss.

Trimestriel; publié en hébreu moderne par l'Institut d'études juives de l'université hébraïque de Jérusalem. A commencé en 1929, sous le même titre, mais avec un sous-titre différent : « Revue trimestrielle hébraïque pour les humanités. » A changé de sous-titre en 1955, et offre désormais un bref résumé anglais des articles publiés.

VD *

Verbum Domini, Piazza della Pilotta 25, 00187 Rome, Italie, 1921-1971.

Mensuel. Commentaires des professeurs de l'Institut biblique pontifical de Rome sur les questions ayant un intérêt pour les prêtres. Brèves recensions, index et autres nouvelles.

VT **

Vetus Testamentum, E. J. Brill, Leiden, Pays-Bas, 1951 et ss.

Trimestriel; publié par l'Association internationale pour l'étude de l'Ancien Testament. Articles de recherche en diverses langues, notes abondantes, communications scientifiques, recensions et listes de livres reçus. Dans le dernier numéro de chaque année offre un index général des auteurs, termes hébreux et références bibliques. Avec le volume des travaux du Congrès international d'A. T. de Copenhague en 1953, dédié à A. Bentzen, a commencé une collection de monographies intitulée *Supplements to Vetus Testamentum.*

WUNT **

Wissenschaftliche Untersuchungen zum Neuen Testament, J.B.C. Mohr, Tübingen, Allemagne fédérale, 1950 et ss.

Collection de monographies : travaux récents de recherches sur des questions néotestamentaires.

ZAW *

Zeitschrift für die Altestamentliche Wissenschaft, W. de Gruyter, Genthinerstrasse 13, Berlin 3, Allemagne fédérale, 1881 et ss.

Trois numéros par an, formant une unité, avec un index général des sujets, termes hébreux, grecs et ougaritiques, ainsi que des références bibliques traitées dans les trois fascicules du tome annuel. Travaux de recherche, notes, communications scientifiques. Dans chaque numéro, importante recension de livres et revues sur des sujets vétérotestamentaires.

ZDPV *

Zeitschrift des Deutschen Palästina-Vereins, Kommissionsverlag Otto Harrassowitz, Wiesbaden, Allemagne fédérale, 1878 et ss.

Publié par la D.P.V., est également l'organe officiel de l'Institut évangélique allemand pour l'étude scientifique de l'Antiquité en Terre Sainte.

Fondamentalement, revue d'archéologie palestinienne offrant d'abondantes recensions et photographies des résultats des fouilles.

Zion *

Zion — New Series, Palestine Historical and Ethnological Society, Jérusalem, P.O.B. 1026, Israël, 1935 et ss.

Trimestriel. Publie en langue hébraïque des études de recherche sur l'histoire des juifs. Dans les dernières années, donne des brefs résumés anglais des articles publiés.

ZNW *

Zeitschrift für die Neutestamentliche Wissenschaft, W. de Gruyter, Genthinerstrasse 13, Berlin 3, Allemagne fédérale, 1900 et ss.

Revue trimestrielle, bien qu'elle paraisse en fascicules

doubles deux fois par an. Travaux de recherche, et notes succinctes sur des questions scientifiques en discussion. Comprend aussi une brève recension semestrielle des revues, et une liste des livres reçus à la rédaction.

Revues théologiques

On n'oubliera pas de consulter également les revues non spécialement bibliques, mais offrant souvent des articles et chroniques intéressants :

ETR *
Études théologiques et religieuses, Institut protestant de théologie, 13, rue Louis-Périer, 34000 Montpellier, 1925 et ss.
Trimestriel. En plus de quelques articles d'exégèse, offre d'excellents bulletins bibliographiques (A. T., critique textuelle, N. T.).

L&V *
Lumière et Vie, 2, place Gailleton, 69002 Lyon, 1951 et ss.
6 numéros par an.
Consacre assez souvent un numéro entier à un livre biblique ou à un thème. Recensions et chroniques.

NRT *
Nouvelle Revue théologique, Facultés N.-D. de la Paix, Namur (Belgique), éd. Casterman, B 7500 Tournai, 1888 et ss.
6 numéros par an.
Articles d'exégèse biblique écrits dans un langage accessible au non-spécialiste. Recensions abondantes et précises, groupées par sujet.

RevSR **
Revue des sciences religieuses, Fac. de théologie catholique, Palais universitaire, 67084 Strasbourg Cédex.
Trimestriel.

RHPR **

Revue d'histoire et de philosophie religieuses, Fac. de théologie protestante, Palais universitaire, 67084 Strasbourg Cédex.

Trimestriel.

RPT **

Revue de théologie et de philosophie, 1066, Épalinges s/ Lausanne, Suisse.

Trimestriel. Publié par les professeurs de la Fac. de théologie protestante de Lausanne.

RSR **

Recherches de science religieuse, 5, rue Monsieur 75006 Paris, 1910 et ss. Trimestriel. Bulletins bibliographiques des divers secteurs de l'exégèse biblique.

AUTEURS CLASSIQUES
EN ÉTUDES BIBLIQUES

ALBRIGHT William F., 1891-1971. Baltimore. Travaux archéologiques et philologiques. Directeur de A.S.O.R. à partir de 1920. *De l'âge de la pierre à la chrétienté* (2ᵉ éd. angl. revue en 1957), Paris, 1961.

ALT Albrecht, 1883-1956. Leipzig. Contributions à l'histoire, la topographie, les influences égypto-assyriennes en Palestine. *Gott der Väter*, 1929. *Ursprünge des israelitischen Rechts*, 1934.

BULTMANN Rudolf, 1884-1977. Marbourg. Chef d'une école exégétique du N. T. qui travailla l'analyse des genres littéraires *(Formgeschichte)*. Travaux sur l'Évangile de Jn et la théologie du N. T., *Histoire de la tradition synoptique*, éd. du Seuil, 1971.

DELITZSCH Franz, 1813-1890. Leipzig. Philologue et exégète. Travaux sur le messianisme.

DUHM Bernard, 1847-1929. Göttingen-Basilea. Études sur les prophètes selon les méthodes de J. Wellhausen.

GESENIUS Wilhelm, 1786-1842. Halle. Dictionnaire classique hébreu-allemand (1810), mis à jour de nombreuses fois, et traduit en anglais par Brown-Driver-Briggs.

GUNKEL Hermann, 1862-1932. Berlin-Halle. Introduit dans l'A. T. l'étude des genres littéraires, l'appliquant surtout aux psaumes et aux récits de Gn. Études exégétiques.

KITTEL Gerhard, 1888-1948. Tübingen. Dirigea l'édition du dictionnaire théologique du N. T. (TWNT). Études historiques sur le judaïsme et le christianisme.

KITTEL Rudolf, 1853-1929. Leipzig. Commença l'édition critique de la Bible hébraïque. Études sur l'histoire et la religion hébraïques.

LAGRANGE Marie-Joseph, 1855-1938. Paris-Jérusalem. Fondateur de l'École biblique de Jérusalem et de la *Revue biblique* (1890). Études et commentaires de livres bibliques, tant de A. T. que du N. T.

MOWINCKEL Sigmund, 1884-1965. Oslo. Pionnier de l'origine liturgique des Psaumes, et virtuellement de la Bible tout entière. Études sur le messianisme.

NOTH Martin, 1902-1968. Bonn. Études sur les traditions du Pentateuque (il reconnut le « Deutéronomiste » [Dtr]), et sur l'*Histoire d'Israël* (éd. fr. revue par l'auteur, éd. Payot, Paris, 1970). A partir de ses nombreux travaux sur la topographie et la législation publia en 1962 un autre livre de grande importance : *Die Welt des Alten Testaments,* tr. angl., esp. (Madrid, 1976), mais pas encore traduit en français.

PEDERSEN Johannes, 1883-... Copenhague. Études sur la sociologie israélite. *Israel, its Life and Culture* (1926-1946).

RAD Gerhard Von, 1901-1971. Heidelberg. Nombreuses études exégétiques sur l'A. T., et *Théologie de l'Ancien Testament,* 2 tomes, tr. fr. Genève, éd. Labor et Fides, 1962 et ss.

SCHWEITZER Albert, 1875-1975. Strasbourg. Études sur le problème du Jésus historique. *Geschichte der Leben-Jesu-Forschung* (1913) tr. angl. mais non traduit en français! Travaux sur l'eschatologie du N. T.

VAUX Roland Guérin de, 1903-1971. Jérusalem. *Institutions de l'Ancien Testament,* 2 vol. (1957-1960). A dirigé la publication de la *Bible de Jérusalem.* Travaux archéologiques (Tell El Farah, Qumran, Tell Keisan). *Histoire ancienne d'Israël* (1971; seul le premier tome était rédigé entièrement à la mort de l'auteur; le tome 2 a été publié par les soins de F. Langlamet).

WELLHAUSEN Julius, 1844-1918. Gresiwald-Göttingen. Travaux historiques et de critique littéraire sur l'A. T. C'est lui qui élabora définitivement la théorie documentaire pour le Pentateuque. Travaux exégétiques sur presque toute la Bible.

TABLE DES MATIÈRES

Cet ouvrage a été composé et achevé d'imprimer
le 5 novembre 1982 par l'Imprimerie Floch 53100 — Mayenne
Dépôt légal : 4ᵉ trimestre 1982. Nᵒ d'imprimeur : 20115. Nᵒ d'éditeur : 7531.
Imprimé en France.

lire la Bible